Klaus-Peter Wolf

Die Abschiebung oder Wer tötete Mahmut Perver?

Klaus Peter Wolf

Die Abschiebung

oder
Wer tötete
Mahmut Perver?

Büchergilde Gutenberg

Lizenzausgabe für die Büchergilde Gutenberg,
Frankfurt am Main, Olten, Wien
Mit freundlicher Genehmigung des Benziger Verlages, Zürich, Köln

Einbandgestaltung Eckard Warminski, Büdingen
ISBN 3 7632 3024 6

I

Jetzt, da alles vorbei war, hätte sie es am liebsten herausgeschrien: «Ja, ich habe es getan! Ich, Elke Stobbe!»
Verflogen war die erniedrigende Angst, entdeckt zu werden. Keine miese Geheimhaltung mehr. Kein Sprechen hinter vorgehaltener Hand. Keine Furcht vor Verrat. Kein Flüstern am Telefon.
Mit einemmal waren alle Befürchtungen und Einschränkungen verschwunden. Sie fühlte sich großartig. Übermütig und durchtrieben. Befreit von einem unerträglichen Druck. Dämme in ihr waren gebrochen. Wellen bedenkenloser Leichtigkeit durchfluteten sie. Sie konnte jetzt fröhlich mit dem Schlimmsten rechnen, denn das Schlimmste, was immer es sein mochte, machte ihr nichts mehr aus.
Seitdem sie es getan hatte, ging sie leichtfüßiger. Die Straße wurde für sie zum Trampolin. Gern hätte sie eine Kaugummiblase vor dem Mund zerplatzen lassen.
Die Leuchtreklame vom Flipperladen spiegelte sich vor ihr in einer Pfütze. Der Regen hatte nachgelassen. Frische Feuchtigkeit glänzte auf den Dächern. Erst jetzt wurde ihr bewußt, wie viele unterschiedliche Schwarztöne es gab. Die wenigen Bäume hoben sich dunkel von den Häuserfassaden ab. Das silberne Schwarz der Dächer und das bläuliche Schwarz des Himmels.
Elke Stobbe stand, den Kopf in den Nacken gelegt, vor der Boutique Marion und atmete so bewußt wie möglich.

Selbst in die entferntesten Verästelungen ihrer Lungenbläschen wollte sie Sauerstoff pumpen. Gern hätte sie den Sternenhimmel in sich aufgesaugt. Vom Mond sah sie nur eine kleine Sichel, die sie an die türkische Flagge erinnerte.
Sie breitete ihre Arme aus, die Handflächen nach oben. Für Sekunden glaubte sie, abheben zu können. Ohne die geringste Kraftanstrengung hinaufzuschweben. Leichter zu werden als Luft. Die Stadt unter sich zurückzulassen. Eins zu werden mit dem Universum.
Vielleicht lag es am Raki? Sie spürte den Anisgeschmack bei jedem Einatmen. Noch brannten ihre Lippen von dem scharf gewürzten Hammelfleisch.
Ein Auto rollte auf sie zu. Sie hörte das Surren der Reifen auf der nassen Fahrbahn. Kleine Wasserfontänen klatschten gegen den Bürgersteig. Ein Motorengeräusch nahm sie nicht wahr.
«Na, Mädchen, bist du Schlafwandlerin oder vollgekifft?»
Schlagartig wurde ihr bewußt, in welch merkwürdiger Pose sie dastand. Noch vor ein paar Stunden hätte sie sich jetzt ängstlich weggestohlen. Fast jeden zweiten Abend, wenn sie zu Fuß nach Hause ging, wurde sie von irgendwelchen Männern angemacht. Wenn das aus einem Auto heraus passierte, nutzte es nichts, schneller zu laufen. Aber sie ging dann so dicht wie möglich an der Häuserzeile entlang. Eine Klassenkameradin von ihr war einmal in ein langsam fahrendes Auto gezerrt worden. Mitten in der Stadt. Es waren drei junge Männer. Sie hatten sie eine Weile befummelt, versucht sie auszuziehen und dann wieder freigelassen. Sie hatte noch Glück gehabt.
Elke drehte sich ohne jede Eile um, stemmte die Fäuste

in die Hüften und blickte dem Fahrer ins Gesicht. Er lehnte sich lässig aus dem heruntergekurbelten Fenster. Er grinste breit übers ganze Gesicht.
«Du bist ja ganz naß, Schwester. Komm, steig ein. Ich lade dich zu einem Grog ein.»
Sie verstand nicht viel von Autos, aber sie wußte, daß der Kerl in einem BMW saß. Er war höchstens zwanzig.
«Ich habe heute schon bessere Angebote bekommen», sagte sie.
Mit einem ersten leichten Widerstand hatte er durchaus gerechnet. Deswegen gab er nicht auf.
«Na komm schon. Wenn wir uns beeilen, können wir noch die Spätvorstellung im Autokino sehen.»
«Ach, weißt du, ich würde ja eigentlich ganz gerne . . .»
Sein Grinsen wurde noch unverschämter. « . . . aber was wird dein Papi sagen, wenn du so spät nach Hause kommst? Der wird sich bestimmt Sorgen machen. Jetzt hat er dir schon mal seinen Wagen geliehen, da mußt du ihn nicht sofort enttäuschen.» Entgeistert sah er sie an. Seine Augen wurden kleiner. Sein Blick drohend.
Elke stampfte mit dem Fuß auf.
«Los Junge! Jetzt hau ab. Ich hab den grünen Gürtel im Judo, und wenn ich nicht sofort deine Rücklichter sehe, knote ich dich ums Lenkrad.»
Er kurbelte tatsächlich die Scheibe hoch, zeigte ihr doof und gab Gas.
Sie hüpfte vor Freude in die Luft. Sie fand sich einfach toll. Sie hatte keine Angst mehr. Sie war plötzlich schlagfertig. Sie hatte gewonnen. Zum erstenmal wirklich aus eigener Kraft gewonnen.
So schnell konnte sich ein Mensch verändern.
Es ist, dachte sie, wie bei einer Champagnerflasche.

Jahrelang liegt sie ruhig im Keller. Sie staubt voll, und niemand beachtet sie. Doch wenn jemand kommt und ihr hilft, den Korken auszuspucken, dann knallt es plötzlich, und aus der Flasche schäumt der berauschende Saft.

Sie lachte über den Gedanken, fand ihn amüsant, wollte ihn anderen mitteilen.

Ja, sie war eine Champagnerflasche. Der Korken knallte gerade erst heraus. Nun würde sie ihren kostbaren Saft über diese Welt ergießen.

Wie philosophisch ich sein kann, dachte sie und freute sich auf das Gesicht ihres Philosophielehrers. Der würde Augen machen. Gleich morgen in der zweiten Stunde...

Sie tänzelte weiter in Richtung Stadtpark. Sonst benutzte sie immer einen anderen Nachhauseweg. Wenn es dunkel war, traute sie sich nicht durch die Parkstraße. Nun ging sie absichtlich dorthin.

Im Schaufenster einer Apotheke sah sie sich selbst beim Laufen zu. Ihre Bewegungen waren spielerisch. Die Füße berührten beim Gehen kaum den Boden. Die Jeans klebten eng an den Beinen. Die blonden Haare hingen in langen Strähnen herab. Sie warf sie nach hinten.

«Du bist hübsch. Hast eine astreine Figur!» sagte sie zu sich selber.

Am Ende der Straße beschloß sie, in eine Eckkneipe zu gehen. Früher war sie nur in Kneipen gegangen, wenn dort jemand auf sie wartete oder sie mit mehreren aus ihrer Klasse im Rudel gehen konnte.

Jetzt fand sie das plötzlich albern.

Sie spürte die Blicke der Männer. Sie genoß die Aufmerksamkeit. Noch warteten die meisten unsicher. Vielleicht

parkte ihr Freund nur den Wagen ein und kam dann nach?
Vielleicht wäre sie ungeschoren davongekommen, wenn sie sich still in eine Ecke gesetzt hätte, um eine Limonade zu trinken und dann wieder zu verschwinden? Aber sie stellte sich an den Tresen.
«Asbach-Cola bitte.»
Der dickbauchige Wirt nickte. Er wirkte auf sie wie ein Marzipanschweinchen.
Es hockten knapp ein Dutzend Leute in der Kneipe. Vier saßen an einem Tisch und spielten Karten. Drei schielten noch zu Elke rüber. Der vierte moserte schon, weil er weiterspielen wollte. Außer Elke befand sich nur noch eine Frau in dem Raum. Sie hatte ein altes, verlebtes Gesicht. Sie saß am Ende der Theke mit dem Rücken zu den Toiletten. Vor ihr stand ein halbvolles Bierglas und ein leeres Schnapsglas. Im Aschenbecher schwelte eine Zigarette.
Der Mann neben ihr wirkte schmuddelig. Mürrisch und unausgeschlafen. Die Frau redete mit langen, schleppenden Sätzen auf ihn ein und spielte dabei mit der rechten Hand an seinem Bauch herum. Manchmal berührte sie wie unabsichtlich seinen Reißverschluß.
Elke sah in die entgegengesetzte Richtung. Das Verhalten der beiden machte sie sauer. Nahm ihr die gute Laune. Zog sie runter. Sie bekam ihre Asbach-Cola. Die kleinen braunen Bläschen sprudelten über den Rand des Glases hinaus. Sie hielt das Glas nahe an ihr Ohr und hörte dem leisen Rauschen und Zischen zu, bevor sie trank.
Da stand schon jemand neben ihr. Mitte dreißig. Kurze schwarze Haare. Kleine runde Augen. Ziemlich angesoffen. Er war von einer ruhigen, selbstsicheren Härte. Er

würde sich keine Blöße geben. Großzügig hielt er ihr eine Zigarette hin und raunte, als ob er von einem vergrabenen Schatz reden würde: «Zigarette?»
Elke schüttelte den Kopf.
«Nein, danke.»
Er nickte ein bißchen beleidigt. Aber immerhin, es war ja möglich, daß sie Nichtraucherin war. Junge Mädchen, die alleine spät abends in Kneipen gingen und Asbach-Cola bestellten, konnte sich kaum jemand als Nichtraucherinnen vorstellen. Bevor er es noch einmal versuchte, sah er sie abschätzend an, drückte seine eigene Zigarette in den Aschenbecher und bestellte sich ein neues Bier.
«Na, so alleine?»
Elke antwortete nicht. Sie nippte erneut an ihrem Getränk. Leider mußte sie feststellen, daß sie jetzt doch Herzklopfen bekam.
Warum stand sie hier? Was wollte sie sich damit beweisen? Der Kerl rückte näher heran. Warum bezahlte sie nicht und ging?
Das war einmal, dachte sie. Die Zeiten sind vorbei. Endgültig. Besser zehn Kraftproben am Tag, als ständig lieb, brav, angepaßt und ängstlich.
«Ich glaub', der kommt nicht mehr, Mädchen. Auf den brauchst du nicht länger zu warten. Der läßt dich sitzen.»
Sie sah ihn fest an und sagte laut und deutlich, damit es auch alle anderen Leute in der Kneipe hören konnten: «Ich warte auf niemanden. Ich bin nicht verabredet.»
Er grinste.
«Brauchst dich doch nicht schämen, weil dich mal einer sitzen läßt. Also, wenn du meine wärst, ich würde . . .»
«Bin ich aber nicht!»

«Ich würde dich nicht sitzenlassen. Das kannst du mir aber glauben.»
Schon versuchte er, den Arm um sie zu legen. Sie wich ihm aus. Er zog sie mit sanfter Gewalt an sich. Er rechnete nicht mit viel Widerstand. Er wollte sie trösten. Schließlich hatte sie einer sitzenlassen, und solche Mädchen waren leicht zu haben.
«Möchtest du ein Likörchen?»
Stumm kämpfte sie gegen seinen Arm und die aufdringliche Hand. Alle Anwesenden beobachteten die Szene interessiert. Auch der Wirt. Niemand griff ein. Alle warteten gespannt ab. Er versuchte, sie zu küssen. Angeekelt stieß sie ihn zurück und keifte: «Wer Raucher küßt, trinkt auch Rheinwasser!» Damit hatte sie die Lacher auf ihrer Seite. Sie prusteten alle gleichzeitig los.
Der Typ neben Elke bekam einen roten Kopf. Jetzt war er der blamierte. Um die Situation zu überbrücken, lachte er mit. Doch Elke wußte, daß dieser Sieg nur von kurzer Dauer sein konnte. Der würde jetzt nicht aufgeben. Im Gegenteil. Er mußte versuchen, die Schlappe wieder auszumerzen.
Elke wollte als Siegerin dastehen. Sie trank ihre Cola aus, stellte das Glas auf die Theke und sagte laut: «Danke, für die Einladung.»
Dann verließ sie unter dem ausgelassenen Gebrüll der Gäste mit eiligen Schritten die Kneipe. Auch auf der Straße verlangsamte sie ihre Schritte noch nicht. Sie mußte Abstand gewinnen. Es war nicht auszuschließen, daß der Typ gleich wutentbrannt hinter ihr hergelaufen kam. Wenn das dein neuer Lebensstil wird, dachte sie, dann solltest du vielleicht wirklich mal einen Judokursus belegen ...

2

Eva Stobbes dunkelroter Frotteebademantel rutschte auseinander. Sie klemmte die Weinflasche zwischen die Beine und entkorkte sie mit einem Ruck. Ihr Mann, Harald, stellte sich dabei immer so ungeschickt an, daß es ihr in Gesellschaft peinlich war, wenn er eine Flasche öffnen mußte. Sie hatte schon die merkwürdigsten Modelle von Korkenziehern gekauft. Sogar welche, die mit Druckluft arbeiteten. Harald hantierte damit so tölpelhaft, daß sie es aufgab. Irgendwie war es ihr immer gegen den Strich gegangen, Weinflaschen zu öffnen. Sie fand, das sei seine Arbeit. Aber da sie es nun einmal besser konnte, machte sie es.

Sie benutzte dabei einen ganz simplen Korkenzieher mit Holzgriff und Schraube.

Sie mochte den Ton, mit dem der Korken aus der Flasche sprang. Blopp.

Harald kam mit zwei langstieligen Gläsern aus der Küche. Er stellte sie auf den Rand des Schachtisches. So, daß sie das Spielfeld nicht berührten. Dann ließ er sich in den schweren Ledersessel fallen. Sie hatten lange für diese wuchtigen Möbel gespart. Wie oft träumten sie gemeinsam davon, wie sie ihr Haus einrichten wollten, falls sie mal im Lotto ... Sie mußten erst eine Ledergarnitur besitzen, um zu erkennen, wie ungemütlich und kalt diese Möbelstücke waren. Harald Stobbe stopfte sich sorgfältig eine Pfeife mit hellem Virginiatabak.

Er rauchte nicht viel. Abends, beim Schachspielen mit seiner Frau, eine Pfeifenfüllung. Mehr nicht. Tagsüber rauchte er nie. Er besaß drei Tabakspfeifen und benutzte für jede eine andere Tabaksmischung. Aus der Pflege der Pfeifen und dem Stopfen machte er ein Ritual, das vermutlich wichtiger für ihn war als der eigentliche Rauchvorgang.

Eva goß die Gläser voll. Sie prosteten sich zu und probierten. Beide versuchten, mit Kennermiene den Wein zu kauen, doch sie wußten voneinander, daß sie nichts von Weinen verstanden. Sie tranken fast jeden Abend eine Flasche zusammen. Aber keiner konnte am Geschmack die Anbaugebiete auch nur annähernd erkennen.

Eva drehte die Flasche in der Hand und las vom Etikett ab. «Bad Bergzaberner Kloster Liebfrauenberg. Ein Auslesewein aus Rheinpfalz. 76er.»

Er nickte anerkennend.

«Vollmundig.»

«Mir ein bißchen zu süß.»

«Spielen wir?»

«Hm. Gerne. Ich mache mir Sorgen um Elke. Sie bleibt in letzter Zeit lange weg. Vor elf, zwölf Uhr ist sie nie zu Hause.»

«Aber Eva, sie ist achtzehn! Denk mal an deine Jugend.»

Sie nippte an ihrem Glas.

«Trotzdem.»

Harald Stobbe eröffnete, indem er den Königsbauern zwei Felder vorrückte. Seine Frau erwiderte mit einem Pferd.

Wenn sie Schach spielten, dann kam es weniger darauf an, zu siegen oder brillante Züge zu machen. Auch beim Spielen war das Ritual wichtiger. Sie saßen sich ruhig gegenüber und ließen sich Zeit. Nichts drängte sie. Zwischen den Zügen lagen oft lange Pausen. Sie redeten wenig und nur mit gedämpfter Stimme miteinander. Wenn sie sich trotzdem plötzlich auf ein interessantes Thema zu bewegten, unterbrachen sie das Spiel für eine halbe oder eine ganze Stunde und diskutierten die Sache aus. Elke mußte diese Zweisamkeit ihrer Eltern akzeptieren. Sie störte sie nie beim Schach.

Es ging ihr manchmal ganz schön auf die Nerven, daß sie so selten fortgingen, zwar eine Videoanlage besaßen, aber fast nie fernsahen und so leise beim Schach sprachen, als ob sie große Geheimnisse hätten. Aber immer noch besser als Eltern, die sich dauernd anschreien, dachte Elke. So kannte sie es von den meisten Familien der Klassenkameraden.

Als Elke ziemlich durchnäßt die Wohnung betrat, überlegte ihre Mutter gerade, ob sie eine neue Gardine für das große Wohnzimmerfenster häkeln sollte. Sie hatte schöne Motive in einer Illustrierten gesehen. Der Vater blickte gedankenverloren auf das Schachbrett und sog an seiner Pfeife.

Elke zog die Schuhe im Korridor aus und hängte die nasse Jeansjacke über einen Bügel. Die weiße Bluse darunter war blau verfärbt.

Sie begrüßte ihre Eltern mit einem flüchtigen: «Hallo!» Dann verschwand sie im Badezimmer. Sie pellte sich aus den Jeans und stellte belustigt fest, daß der nasse Stoff nicht nur ihren Slip bläulich verfärbt hatte, sondern auch ihre Beine. Sie stellte sich unter die Dusche. Sie liebte es, still unter dem Duschstrahl zu stehen und das Wasser zu spüren. Es perlte an ihr herunter und gab ihr ein intensives Körpergefühl. Sie trocknete sich nicht ab, sondern

schlüpfte naß in ihren Bademantel. Die langen Haare band sie mit einem Handtuch zum Turban.
Sie brannte darauf, ihren Eltern mitzuteilen, was sie getan hatte. Doch es fiel ihr schwer, in deren ruhige Harmonie einzudringen. Sie waren jetzt mit sich selbst und ihrem Spiel beschäftigt. Barfuß schlenderte sie ins Wohnzimmer. Die Eltern kamen ihr vor wie Wachsfiguren. Sie saßen irgendwie hinter Glas. Windstill. In einem Aquarium aus Freundlichkeiten und Verstehen.
Wenn ich jetzt sage, ich muß etwas mit euch besprechen, fragen sie mich, ob das nicht Zeit bis morgen hat. Wenn ich eindringen will in ihre Zweisamkeit, dann muß ich sie provozieren, bis sie . . . Elke schlurfte mit den Füßen über den dunkelbraunen Teppichboden, auf dem nie ein Krümel lag. Sie stand neben dem Schachtisch und griff nach einem Weinglas. Sie leerte es mit einem Zug und stellte es wieder hin. Sie wußte, daß ihr Vater so etwas nicht mochte.
«Hol dir doch bitte selbst ein Glas aus der Küche», sagte er ruhig, ohne sie anzusehen.
Elke warf sich trotzig auf die Couch und legte die noch feuchten Füße auf den Tisch. Tropfen fielen auf die dicke Glasplatte.
Harald Stobbe goß sich wieder Wein ein. Eva nahm ihm einen Bauern. «Vielleicht», sagte sie, «vielleicht häkel ich eine neue Gardine für das Wohnzimmerfenster. Ich habe ein schönes Bauernmuster gesehen.»
Harald Stobbe drehte langsam seinen Kopf, bis das Wohnzimmerfenster in seinem Blickfeld lag, dann nickte er: «Ja, ein Bauernmuster. Oder vielleicht große Blumen wie in Elkes Zimmer . . .» Eva schüttelte energisch den Kopf: «Nein, nicht schon wieder ein Blumenmuster. Wir

haben schon Blumen an den Tapeten. Ich finde, das reicht.»

Harald schob einen Pfeifenputzer ins Mundstück. Er wollte den Tabakssud aufsaugen. Er hatte einen Tropfen der beißenden braunen Flüssigkeit in den Mund bekommen. Am liebsten hätte er ausgespuckt. Er mußte schon ins Badezimmer gehen, um den schlechten Geschmack loszuwerden.

Elke knipste den Fernseher ein. Das würde die Eltern gegen sie aufbringen. Es galt als abgemacht, daß sie im Wohnzimmer weder Musik hörte noch Fernsehen guckte, wenn die Eltern Schach spielten. Sie besaß selbst einen Fernseher. Zwar einen kleinen und nur schwarz-weiß, aber ihren eigenen. Damit sah sie oft vom Bett aus Rockpalast. Aber jetzt wollte sie gar nichts sehen. Sie wollte nur die Aufmerksamkeit ihrer Eltern.

Sie dachte an das Essen mit Mahmut. Sie liebte es: sitzen, essen so viel es einem Spaß macht, dabei Wein trinken und erzählen. Scharfe Gewürze. Der Hauch von Knoblauch, der aus der Küche herüberwehte. Und der Raki. Sie reckte sich wie eine Katze. Ach, es war herrlich. Das Hochgefühl kam zurück.

Harald schaltete den Fernseher aus und sah seine Tochter vorwurfsvoll an.

«Elke, du weißt doch, daß wir abends gerne ...»

«Ja, ich weiß!»

«Ist ja nicht schlimm. Du kannst doch auf deinem Zimmer ...»

«Ja, ich kann!»

«Was ist mit dir, bist du betrunken?»

«Kann sein. Ein bißchen.»

Eva Stobbe stand auf, ging zu ihrer Tochter und setzte

sich zu ihr. Harald verzog sich jetzt ins Badezimmer. Er mußte sich unbedingt den Mund ausspülen.
Eva tätschelte die Hand von Elke.
«Soll ich dir ein Aspirin geben?»
Elke schüttelte den Kopf.
«Ih wo! Es geht mir blendend! Blendend!»
Harald kam aus dem Badezimmer zurück und begab sich zu seinem Sessel. Auch Eva stand auf und wollte sich wieder dem Schachspiel widmen.
Da sagte Elke ohne jeden Gefühlsausdruck in der Stimme: «Ich heiße jetzt Perver.»
Die Eltern brauchten eine Weile, um die Information aufzunehmen. Sie warfen sich flüchtige Blicke zu, starrten dann ihre Tochter an und versuchten in ihrem Gesicht zu lesen, was die Sache zu bedeuten hätte.
Vielleicht war es ein Scherz? Wollte sie ihre Eltern auf die Probe stellen?
Sie lachte so merkwürdig. Sie lachte auf eine ernste Art. Eva fragte sich, was ihre Tochter jetzt von ihr erwartete. Sie wollte Elke nicht enttäuschen. Sicher hatte sie ihre Gründe. Sollte sie ihr weinend um den Hals fallen? Das erschien ihr zu aufgesetzt. Wenn es sich dann als Scherz herausstellen sollte, hätte sie sich lächerlich gemacht.
Elke breitete die Arme aus und wiederholte laut und freundlich: «Ich heiße jetzt Perver!»
Nachdem Harald die Pfeife aus der Hand gelegt hatte, schluckte er und sagte dann: «Ich dachte, du nimmst die Pille.»
Es sollte wie ein freundlicher Vorwurf klingen. Halb wie ein Scherz. Er wollte sich damit jede Möglichkeit im weiteren Gesprächsverlauf offen halten, doch es klang gallig. Fast schadenfroh.

Haralds Satz ließ Eva noch mehr erschrecken als Elkes. Es rutschte ihr sofort aus: «Im wievielten Monat bist du?»
Elkes Lachen kam von innen. Es war ein reines, ein wirkliches Lachen. Keine künstliche Geste. Nicht auf Wirkung bedacht.
Es machte die Eltern noch hilfloser. Wenn sie nicht schwanger war, warum heiratete sie dann heimlich?
«Aber ... du gehst doch noch zur Schule!»
«Na und?»
«Was werden deine Klassenkameradinnen dazu ... und die Lehrer ... Elke, ich glaube, du wirst ganz schöne Schwierigkeiten bekommen. Oder willst du dein Abitur nicht mehr machen?»
Ihr Gelächter wurde noch lauter. Ausgelassener. Sie mußte sich erst beruhigen, bevor sie reden konnte.
«Aber Vati, das braucht doch niemand zu wissen. Meine Klassenkameradinnen und Lehrer werden gar nichts erfahren. Und natürlich mache ich mein Abi. Ich will auch studieren. Oder denkst du, daß ich jetzt an einem Herd stehen werde und um mich herum laufen ein halbes Dutzend schreiender Kinder?»
Der Gedanke schien sie noch mehr zu belustigen. Ihr Lachen ging in ein heiseres Kichern über.
«Ich finde dich albern!»
Eva wollte Streit verhindern. Noch war alles offen. Jetzt nur keine scharfen Worte, dachte sie.
«Elke, wer ist der Glückliche? Kenne ich ihn? Steht er etwa draußen mit einem Strauß Blumen und wartet darauf, daß wir ihn reinbitten?»
Elke verschluckte ihr Lachen. Doch sie strahlte noch immer übers ganze Gesicht. «Nein, ihr kennt ihn nicht.

Er steht auch nicht draußen vor der Tür. Ihr braucht keine Angst zu haben, daß ich nun zu ihm ziehe oder sonst irgendeinen Quatsch mache. Ich bin auch nicht irre verliebt oder schwanger oder sonst was. Ich habe ihn nur geheiratet, weil sie ihn sonst rausgeschmissen hätten.»

Eva fragte noch einmal verwirrt nach: «Wie, ich versteh' nicht?»

Aber Harald hatte längst verstanden und ohne daß Elke noch etwas sagte, begriff auch ihre Mutter.

Harald wurde blaß. Er hob seinen Zeigefinger, machte eine Geste, als ob er etwas Bedeutendes sagen wollte, schwieg aber.

«Ich muß mich setzen», sagte Eva und ließ sich in den Ledersessel fallen. Aus ihrem Gesicht wich das Blut.

Fehlt nur noch, daß einer in Ohnmacht fällt, dachte Elke. Sie fühlte sich gar nicht mehr so froh und unverwundbar. Ja, sie wollte ihre Eltern provozieren. Aber sie hatte sich das alles ganz anders vorgestellt. Anfangs lief es ganz gut, da sahen sie ratlos und verwirrt aus, aber jetzt . . . diese tiefe Betroffenheit, das hatte sie nicht gewollt. Das war die Sache nicht wert.

Harald holte sich einen Zahnputzbecher mit Wasser aus dem Badezimmer und trank ihn demonstrativ im Wohnzimmer stehend leer. Damit wollte er zeigen, wie sehr er sich aufgeregt hatte. Das ging ihm auf den Kreislauf und griff den überreizten Magen an.

Er räusperte sich und bemühte sich um eine ruhige Stimme: «Also, du weißt, daß wir bestimmt nichts gegen Ausländer haben, aber . . .»

«Bitte, Vati, fang nicht so an. Sag jetzt nichts Kleinkariertes. Nichts Überflüssiges. Mach nicht das dufte Bild kaputt, das ich von dir habe.»

Er schluckte. Sachen konnte die sagen! Auf den Mund gefallen war sie nicht. Das Ergebnis seiner Erziehung. Selbstbewußt saß sie da und präsentierte im Bademantel mit Turban ihre Ungeheuerlichkeiten. Dabei geriet er in eine Verteidigungsposition. Gleich würde sie ihn noch trösten und belehren. Er war froh, daß Eva die Initiative ergriff.

«Aber, warum hast du das nicht mit uns besprochen? Du kannst uns doch alles sagen. Du weißt doch, daß wir immer für dich da sind. Wir brauchen keine . . . wir hatten nie Geheimnisse voreinander. Du hast so oft gesagt: Mutti, mit dir kann ich über alles sprechen. Warum jetzt auf einmal nicht mehr? Man kann doch nicht so einen wichtigen Schritt . . .»

Sie war den Tränen nahe. Elke bemerkte es, und es paßte ihr gar nicht. Sie wollte es überspielen.

«Mutti, er ist Kurde. Er wird in seiner Heimat gesucht. Wenn sie ihn rausgeschmissen hätten, dann wäre er lebendig über den Flughafen nicht hinausgekommen. Er hat mich gefragt, und ich habe ihm sofort geholfen. Ich konnte ihn doch nicht . . .» Schärfer als gewollt unterbrach Harald seine Tochter: «Das sind große Worte. Damit sollte man vorsichtig sein. So schnell wird man nicht hingerichtet! Da gibt es immer noch Asylgerichte, die den Sachverhalt prüfen und dann entscheiden. Wer weiß, ob deinem . . . deinem Mann da wirklich etwas blühte. Vielleicht hat der nur eine Masche gesucht, wie er im Wirtschaftswunderland bleiben kann? Ich habe darüber schon viel gelesen. Hat er dir Geld angeboten? Manche zahlen für so eine Hochzeit bis zu zehntausend Mark.»

Jetzt hatte er Elke tiefer verletzt, als er wollte. Sie sprang

auf und keifte ihn an: «Ich habe es gemacht! Ja! Und ich dachte, daß ihr stolz auf mich seid! Weil ich einem das Leben gerettet habe! Und stattdessen redet ihr hier so eine Anpasserscheiße. Ihr seid auch nicht besser als die anderen. Spießer! Miese kleine Spießer!»
Bei den letzten Sätzen schossen ihr schon die Tränen in die Augen. Sie brüllte aber weiter. Erst als sie alles aus sich herausgebrüllt hatte, rannte sie die Treppen hoch in ihr Zimmer.

3

Als sie zwölf war, zog sie mit ihren Eltern in das neue Haus ein. Damals wurde die Einrichtung ihres Kinderzimmers verschenkt. Sie durfte sich selbst die Möbel für ihr neues Zimmer aussuchen. Jetzt erinnerte sie sich daran, wie wichtig das für sie war.

Sie wählte ein Jugendzimmer in Grün. Grüner Kleiderschrank, grünes Bettgestell, grüner Nachttisch, grüner Schreibtisch, grüner Klappstuhl, grüne Buchregale, grün sogar die Einrahmung des Frisierspiegels. Wie toll sie das damals fand! Aber zu der Zeit stand sie auch noch auf John Travolta. Erst vor kurzem hatte sie die Travoltaposter von der Wand geholt und durch Bilder ersetzt, die es im Kunstgewerbeladen gab. Eine Toilette, aus der eine Hand kam, die das Wasser abzog. Röhren, die so merkwürdig ineinander verschachtelt waren, daß man ständig an eine optische Täuschung glaubte. Sie konnte vor dem Einschlafen viel Zeit damit verbringen, den Linien dieser Röhren zu folgen.

Dieser Kunstgewerbeladen war eine Entdeckung für sie. Sie kaufte dort viel. Tee. Schuhe. Billigen Schmuck. Fast alle kleineren Geburtstagsgeschenke. Die Vielzahl der sinnlosen Sachen, die dort verkauft wurden, faszinierte sie. Sie saß vor dem Frisierspiegel. Der Turban war von ihrem Kopf gerutscht. Die Haare standen zu Knoten zerwühlt oder hingen in langen Strähnen herunter. Der Bademantel rutschte von ihren Schultern. Sie sah sich an.

Sie beobachtete sich mit fast wissenschaftlichem Interesse. Das langsame Heruntergleiten des Frotteestoffes löste auf den betroffenen Hautstellen ein kurzes Zusammenziehen aus. Eine Gänsehaut wanderte an ihr herunter. Die nassen Haare berührten Schultern, Hals und Rücken. Ein Tropfen zog seine Bahn vom Hals über die linke Schulter bis zur Brust. Langsam, fast zögernd näherte er sich ihrer Brustwarze.

Eine dicke Träne aus dem rechten Auge tropfte vom Kinn und fiel in den Frotteestoff des Bademantels. Dort wurde sie aufgesogen. Ihre Augenwimpern klebten zusammen.

Sie nahm die Bürste und begann, mit langen bedächtigen Bewegungen, das verknotete Haar zu entwirren.

Sie genoß es, die Berührungen der Bürste zu spüren. Das leichte Kratzen auf der Kopfhaut. Das Gleiten durch die Strähnen.

Sie wollte nie wieder kurze Haare haben. Ihre langen Haare waren für sie ein sinnliches Vergnügen.

Sie bekam kalte Füße, aber sie wollte jetzt nicht aufstehen, um sich Pantoffeln zu holen. Sie wollte vor dem Spiegel sitzenbleiben und sich die Haare kämmen. Die Zeit sollte stehenbleiben. Sie wollte jede Pore ihrer Haut spüren und sich selbst zusehen.

Jedesmal, wenn sie ihre Eltern unten brüllen hörte, zuckte sie leicht zusammen. Sie haßte es, wenn Eltern sich stritten. Nicht nur bei ihren eigenen. Bei allen Eltern.

«Von mir hat sie das jedenfalls nicht!»

«Was soll das heißen?»

«Ihre Zukunft! An ihre Zukunft hat sie dabei wohl gar nicht gedacht!»

Elke brachte auch nicht die Kraft auf, sich Watte in die

Ohren zu stopfen oder den Plattenspieler einzuschalten. Alles, was sie tun konnte, war dasitzen, sich kämmen und schauen.
«Die Sache muß rückgängig gemacht werden! Sofort! Bevor erst einer Wind davon bekommt!»
«Wird man sie deswegen von der Schule verweisen?»
«Sicher, wenn es rauskommt. Untragbar! So ein Mädchen ist untragbar für den Klassenverband. Glaub mir, ich kenne die Leute. Wie Aasgeier werden sie sich auf uns stürzen. Man ist sowieso neidisch auf uns. Weil ... na, wegen des Hauses, und weil unsere Ehe klappt, und weil Elke gute Noten nach Hause bringt und uns keine Probleme macht. Solche Kinder sind heute selten. Schlägt nicht über die Stränge. Rennt nicht rum wie diese verrückten Punker. Lernt gut. Macht uns keinen Ärger mit Jungensgeschichten, und jetzt das!»
Die Eltern beruhigten sich langsam. Ihre Stimmen wurden leiser. Elke verstand sie nicht mehr. Fröstelnd blieb sie vor dem Spiegel sitzen und ließ die Bürste durch das Haar gleiten. Eine Träne kullerte über ihr Gesicht und erreichte die Lippen. Mit der Zunge wischte Elke den salzigen Tropfen ab.
Eine Weile später klopfte es an ihrer Tür. Sie reagierte nicht. Im Spiegel konnte sie auch die Tür sehen. Sie wurde einen Spalt geöffnet. Ihr Vater trat ein. Er wollte etwas sagen, aber ihre unerwartete Nacktheit überraschte ihn, und er verlor das Konzept. Schon wollte er wieder gehen, da nahm er die Decke von Elkes Bett und legte sie über ihre Schultern.
Er sah vor sich auf den Boden.
«Du wirst dich noch erkälten», sagte er.
Die Art, wie er das tat, machte sie betroffen. Er zeigte

seine Hilflosigkeit. Sie wollte ihn so nicht aus dem Zimmer gehen lassen. Sie ließ die Bürste sinken.
Er drehte sich um. Wartete auf eine Geste. Im Spiegel trafen sich ihre Blicke.
«Wie konntest du uns das antun?» fragte Harald und wußte sofort, daß er wieder alles falsch machte.
«Du hast nichts verstanden. Gar nichts. Schade. Ich hatte dich ganz anders eingeschätzt.»
«Elke, welcher Vater würde nicht sauer, wenn er erfährt, daß seine Tochter ...»
«Einen Ausländer geheiratet hat!» giftete sie.
Zum ersten Mal im Leben bemerkte Elke, daß ihr Vater hängende Schultern hatte. Er schüttelte den Kopf.
«Du willst mich unbedingt in eine Ecke drängen, in die ich nicht gehöre. Ich bin kein Rassist! Ich habe auch nichts gegen Türken, aber ...»
«Er ist Kurde.»
Harald Stobbe atmete aus. Er setzte sich vorsichtig, als könne er etwas beschädigen, auf den Rand des grünen Bettgestells und sagte: «Bitte, Elke, laß uns reden.»
Elke nickte. Stand auf, ging zum Schrank und fischte sich ein Nachthemd aus dem Wäschestapel. Sie zog es über, ging an ihrem Vater vorbei und huschte unter die Bettdecke. Sie zog die Beine an den Körper, umschlang sie mit den Armen, stützte den Kopf auf die Knie und blickte ihn fordernd an.
«Also los!»

4

Frau Stobbe stand in der Küche neben dem offenen Kühlschrank und trank schon den dritten klaren Schnaps. Sie fand, daß ihr das jetzt gut tat. An der Unterredung zwischen ihrem Mann und ihrer Tochter nahm sie nicht teil. Es war ihr ganz lieb so. Die Sache hätte sie zu sehr aufgeregt. Sie konnte keinen Streit vertragen.

Der Aquavit machte sich im Magen breit und erfüllte sie mit Wärme. Es ging ihr schon besser. Immerhin wurde oben nicht geschrien. Sie lauschte, hörte aber nichts. Sie wußte von dem besonderen Verhältnis zwischen ihrer Tochter und ihrem Mann. Vielleicht mußte das so sein: Mädchen vaterfixiert und Jungen mutterfixiert. Da sie keinen Jungen hatte, mußte sie sich damit abfinden. Vielleicht wie alle kleinen Mädchen hatte Elke, bevor sie zur Schule kam, darauf bestanden, später Papi zu heiraten. Eigentlich ließ diese Zuneigung nie wirklich nach. Oft flüsterten die beiden zusammen. Sicherlich gab es ein paar ganz harmlose Geheimnisse zwischen ihnen. Elke machte keinen Hehl daraus, wie sehr sie ihren Vater bewunderte. Aber vor ein paar Monaten, als sie die Pille wollte, da hatte sie sich an ihre Mutter gewandt. Eva war sehr überrascht. Nicht, weil ihre Tochter die Pille wollte, sondern, weil sie diese Angelegenheit mit ihr besprach.

Von einem Freund erzählte sie nichts. Nur von ihren Schwierigkeiten bei der Regel. Ihre Tage kamen viel zu unregelmäßig und wurden von Übelkeit und Schmerz

begleitet. Diese Umstände wollte Elke angeblich mit der Pille beseitigen. Es gab genügend Ärzte, die jungen Mädchen deshalb die Pille verschrieben. Manchmal, weil es wirklich so war, meist aber, um den Mädchen eine Begründung für die Eltern zu geben.
Eva Stobbe wußte von den Menstruationsschwierigkeiten ihrer Tochter. Trotzdem glaubte sie, daß es für die Pille einen anderen Grund gab. Warum auch nicht? Als sie es abends Harald erzählte, glaubte sie, seine Eifersucht zu spüren. Eifersüchtig auf den unbekannten Mann, der seiner Tochter nun näher stand als er.
Sie trank den vierten Aquavit im Stehen. Dann schraubte sie die Flasche wieder zu und stellte sie in den Kühlschrank zurück. Sie wankte ein wenig, als sie ins Wohnzimmer ging.
Wie war der neue Name ihrer Tochter? Sie erinnerte sich nicht mehr. Vielleicht Pervers oder so ähnlich? Sie empfand jetzt, da der Schnaps wirkte, daß diese Geschichte eine gehörige Portion Spannung in ihr Leben bringen könnte.
Kurde war er also. Sie ging zur Bücherwand und tastete sich mit dem Zeigefinger dem modernen Lexikon entlang. Die Bände waren in rotes Kunstleder eingebunden, und auf dem Rücken standen in Goldprägung die Buchstaben «Kim-Lands». Das war der richtige Band. Sie zog ihn hervor und blätterte.
Kuratorium, Kürbis, Kurden.
Es war sogar ein Farbfoto dabei. Sie ließ sich in den Sessel fallen und las: Kurden, freiheitsliebendes Volk, etwa vier bis sechs Millionen in Westpersien, Armenien, im nördlichen Irak, nordöstlichen Syrien und in der östlichen Türkei, mit indogermanischer Sprache; als Räuber ge-

fürchtet, bis in die Neuzeit noch nicht befriedet; unter kleinen Fürsten auf Burgen mit Adel, einflußreichen nomadischen Hirten und ärmlichen Ackerbauern . . .
«Als Räuber gefürchtet, bis in die Neuzeit noch nicht befriedet», wiederholte sie leise. Sie las nicht weiter. Sie stellte das Buch rasch wieder zwischen die anderen.
Es war ihr fast peinlich, daß sie nachgelesen hatte. Sie wollte es ungeschehen machen, indem sie das Buch sehr sorgfältig wieder einordnete.
Als Räuber gefürchtet, bis in die Neuzeit noch nicht befriedet. Gedanken an die letzte XY-Sendung drängten sich ihr auf. Waren dort nicht die Rauschgifthändler hauptsächlich südländische Typen? Von einem gigantischen Ring war die Rede. Ein Ring zwischen türkischen Händlern und Gastarbeitern, die das Zeug hier verkauften.
Sie versuchte, sich einzureden, alles sei Unfug.
Harald kam die Treppen herunter. Er setzte sich zu seiner Frau und griff nach seiner Pfeife.
«Du siehst immer noch ganz blaß aus», sagte sie. «Wie war euer Gespräch?»
«Ich werde mir morgen den jungen Mann mal vorknöpfen.»
Eva schien erleichtert, doch Harald erschrak über seine eigenen Worte. Hastig blickte er sich um. Elke war nicht im Zimmer. Sie lag in ihrem Bett.
Zu ihr hatte er gesagt: «Ich werde ihn mir mal anschauen, deinen Mann.»
Elke hatte nur gefordert: «Gib ihm eine Chance.»
Er hatte genickt. Von «vorknöpfen» war nicht die Rede.

5

Harald Stobbe verlangsamte seine Schritte, je näher er dem Café kam. Seine Handflächen wurden feucht. Er trocknete sie ganz gegen seine sonstigen Gewohnheiten an den Hosenbeinen ab.
Jetzt konnte er das Café schon auf der anderen Straßenseite sehen.
Vier Tische standen in der Sonne. Um einen gruppierte sich eine lärmende Schülerschar mit Eisbechern und Cola-Gläsern. Die anderen drei Tische waren frei.
Da trat ein Mann aus dem Café und setzte sich an einen leeren Tisch. Er legte ein Päckchen Zigaretten auf die Tischplatte und eine Schachtel Streichhölzer.
Der Mann hatte kurze pechschwarze Haare, buschige Augenbrauen und einen dichten Schnauzbart. Harald Stobbes Magen krampfte sich zusammen. Das mußte er sein: der Ehemann seiner Tochter. Man konnte ihm von weitem ansehen, daß er kein Deutscher war. Auch die Kleidung verriet ihn, obwohl er sicherlich glaubte, sich unauffällig europäisch gekleidet zu haben. Weißes Hemd mit langem Kragen, breite Krawatte mit farbigem Muster, blaues Sakko und eine helle Hose mit weitem Schlag.
Dort saß ein Mann, der sich bemühte, einen ordentlichen und sauberen Eindruck zu machen. Auf Harald Stobbe wirkte das erniedrigend. Peinlich. Hatte der Mann versucht, sich für dieses Treffen akzeptabel zu machen?

Wollte er seine Fremdheit überspielen? Dies war kein Vorstellungsgespräch in einer Firma. Hier traf der Schwiegersohn den Schwiegervater. Harald Stobbe fühlte sich unwohl. Sein Rollkragenpullover kratzte. Er konnte sich nicht entscheiden, endlich an den Tisch zu gehen und zu sagen: «Ich bin Harald Stobbe. Sind Sie Mahmut Perver?»
Sollte er ihn duzen oder auf Distanz bleiben? Was wollte er überhaupt von ihm? Ihn kennenlernen, klar, und dann? Gab es eine Möglichkeit, dem Mann die Ehe auszureden? Das Wort «Annullieren» ging ihm nicht aus dem Kopf. Er wollte nicht, daß seine Tochter mit achtzehn Jahren bereits den Zusatz geschieden in ihren Papieren stehen hatte. Es mußte eine Möglichkeit geben, die Ehe zu annullieren. Vielleicht spielte dieser Perver mit? Vielleicht ließ er mit sich reden? Harald Stobbe war auch bereit, dafür tief in die Tasche zu greifen. Vor allen Dingen mußte er ihm klar machen, daß er nichts gegen Türken hatte. Und dann von seiner Tochter reden. Die Probleme für Elke aufzeigen.
Er nahm seinen Mut zusammen und ging auf das Straßencafé zu. Doch ohne daß er es wirklich wollte, trugen ihn seine Füße an dem Café vorbei. Er streifte sogar eine flatternde Tischdecke. Aber er ging weiter wie ein zufällig vorbeikommender Passant.
An der Straßenecke blieb er stehen und blickte zum Café. Mahmut – falls der Mann wirklich Mahmut war – zündete sich eine Filterzigarette an. Der Rauch verfing sich in seinem Schnauzbart und geriet schließlich in seine Augen. Er rieb sich die Lider. Harald Stobbe folgerte daraus, daß Mahmut auch nervös sein mußte. Eine Kellnerin kam auf die Straße, ging zum Tisch der Schüler und kassierte.

Mahmut hob den Arm, bat sie an seinen Tisch. Sie reagierte nicht, sah durch ihn hindurch und verschwand wieder im Café. Mahmut stand auf und folgte ihr gestikulierend.
Was war da los?
Harald Stobbe setzte sich in Bewegung. Aus einer plötzlichen Eingebung heraus setzte er sich an einen freien Tisch und wartete. Mahmuts Zigaretten und die Streichholzschachtel lagen auf einem Nachbartisch.
Die Schüler zogen ab. Harald Stobbe saß jetzt ganz allein draußen. Auch im Café schien wenig los zu sein. Wieder überlegte er sich einen Anfang. Der erste Satz konnte entscheidend sein. Am liebsten hätte er sich jetzt eine Zigarette aus Mahmuts Packung genommen. Das kam von der Nervosität. Er rauchte nie tagsüber. Und abends nur Pfeife.
Mahmut trottete aus dem Café. Er wirkte sauer. Resigniert. Er setzte sich und fingerte eine neue Zigarette aus der Packung. Er blickte sich nach allen Seiten um. Er wartete auf seinen Schwiegervater. Er konnte nicht wissen, daß er schon neben ihm saß. Mahmuts Finger waren behaart. Er trommelte nervös auf die Tischplatte.
Die Kellnerin kam aus dem Café und ging zielstrebig auf Harald Stobbe zu.
«Was darf's sein?» fragte sie dienstbeflissen und zückte einen Bestellblock.
«Eine Tasse Kaffee bitte.»
«Sonst noch etwas?»
«Nein danke.»
Mahmut sah vor sich auf den Tisch. Stumm rauchte er seine Zigarette zu Ende und blickte immer auf die andere Straßenseite. Der Aufenthalt hier war ihm unangenehm.

Er wollte seinen Schwiegervater treffen und dann weg von diesem Straßencafé.
Die Kellnerin brachte den Kaffee.
Harald Stobbe zahlte sofort seine zwei Mark vierzig und rührte dann unbeholfen in der Tasse herum. Er mußte jetzt den Anfang machen.
Ihre Blicke trafen sich. Mahmut blinzelte gegen die Sonne. Sie nickten sich zu wie zwei flüchtige Bekannte, die sich beim Einkaufsbummel begegneten.
Zögernd fragte Mahmut Perver: «Darf ich mich bitte zu Ihnen setzen? Hier werden Türken nicht bedient. Aber wenn man mit deutschem Kollegen am Tisch sitzt, und er bestellt, dann hat man etwas bessere Chance. Bitte schön.»
Harald Stobbe hatte das Gefühl, zu einem Eisblock zu erstarren. Die kleinen Härchen an seinen Unterarmen stellten sich auf. Er sagte kein Wort. Er nickte stumm.
Mahmut stand auf und setzte sich zu ihm. Er lächelte dankbar. «Wenn Sie bestellen, dann vielleicht ich bekomme Kaffee. Ist heute sehr wichtig für mich. Ich treffe hier eine wichtige Person. Ich möchte nicht, daß sie merkt, daß ich nicht bedient werde. Ich mich dann schämen. Wenn Person kommt, ich gehe sofort.»
Harald Stobbe führte die Tasse zu den Lippen. Er wollte aus Verlegenheit einen Schluck Kaffee trinken. Er stellte fest, daß seine Hand zitterte. Er nahm die andere zur Hilfe und schlürfte dann lauter, als ihm angenehm war. Fast hätte er sich noch die Zunge an dem heißen Zeug verbrannt. «Wenn Sie für mich bestellen, dann ich gebe gerne für Sie etwas aus. Wollen sie eine Zigarette?»
Mahmut hielt ihm die Schachtel hin. Selbst als eingefleischtem Nichtraucher wäre es ihm jetzt nicht gelungen,

«Nein» zu sagen. Es war so etwas wie seine moralische Pflicht, diese Zigarette anzunehmen. Mahmut gab auch Feuer.
Wieder erlebte Harald Stobbe das Zittern seiner Hand. Er nahm einen tiefen Zug und sagte dann: «Wen wollen Sie treffen?» Im gleichen Moment ärgerte er sich darüber. Er mußte sich zu seiner Person bekennen. Er konnte hier nicht den unbekannten Zuschauer spielen.
«Darüber möchte ich nicht sprechen», antwortete Mahmut.
«Aber es ist wichtig, daß der Mann einen guten Eindruck von mir bekommt.»
Mein Gott, das wird ja alles immer peinlicher, dachte Harald Stobbe. Er zweifelte, ob er sich überhaupt noch zu erkennen geben konnte. Da kam die Kellnerin wieder auf die Straße und sah sich nach neuen Gästen um.
«Hallo, können wir bitte noch zwei Kaffee bekommen!» rief Harald Stobbe.
Die Kellnerin tat, als hätte sie nichts gehört und verschwand wieder.
«Jetzt sie uns warten lassen. Ich kenne das. Manchmal warte ich über eine Stunde. Kein Kellner kommt. Dann hat man verstanden und geht. Das ist die beste Methode. Andere Wirte schmeißen gleich richtig raus. Aber dann gibt's meistens Krach.»
Harald Stobbe war keine Kämpfernatur. Er hatte sich, seit er zwölf Jahre alt war, nicht mehr geprügelt. Er wich Auseinandersetzungen aus und bezeichnete sich selbst als konfliktscheu. Im Beruf wie in der Ehe. Wenn er Probleme mit seinen Schülern hatte, konnte ihn das tagelang lähmen. Einen Ehekrach ertrug er überhaupt nicht. Oft steckte er zurück, um einen harten Wortwechsel oder

Streit zu vermeiden. Streit schlug ihm auf den Magen, machte ihn fertig, entnervte ihn. Er brauchte Ruhe, Harmonie, Wärme.

Trotzdem stand er jetzt auf, ging in das Café, stellte sich an die Kuchentheke und fragte laut und deutlich: «Warum bedienen Sie meinen Freund nicht?»

Die Frau hinter der Kuchentheke hantierte mit einem Tortenheber herum und kümmerte sich nicht um ihn. Ein freundlicher Herr mit einer Konditorschürze kam mit langen Schritten auf Harald Stobbe zu.

«Sie müssen das verstehen, mein Herr, wir haben sehr penible Stammkunden», flüsterte er. «Darauf müssen wir Rücksicht nehmen.»

«Nein, das verstehe ich nicht!» brüllte Harald Stobbe.

«Nicht so laut bitte. Wir haben noch mehr Kundschaft. Wissen Sie, wenn das einmal einreißt, dann wird man sehr schnell zum Türkenladen, und dann bleiben die Deutschen aus und schließlich ...»

«Das ist ein Skandal!»

Inzwischen hatte auch Mahmut das Café betreten. Er legte seine Hand auf Haralds Schulter und sagte: «Das ist wirklich sehr nett, aber es hat keine Sinn. Regen Sie sich nicht auf.»

Harald Stobbe spürte die Magensäure. Außerdem schoß immer mehr Blut in seinen Kopf. Für seinen Kreislauf war das hier Höchstleistungssport.

«Ich werde dieses Lokal nie wieder betreten!» schrie er und drehte sich zur Tür. Wütend stampfte er nach draußen. Mahmut folgte ihm.

«Komm, wir gehen woanders hin», schlug Harald Stobbe vor. Mahmut schüttelte den Kopf.

«Sehr gerne, aber ich warte auf einen Mann. Vielleicht

kommt er gar nicht mehr, aber ich will trotzdem warten. Vielleicht, wenn ich mich ganz ruhig verhalte, läßt Wirt mich wenigstens hier sitzen.»
«Ich bin der Mann, auf den du wartest.»
«Sie sind ...»
«Ja, ich bin Elkes Vater. Harald Stobbe.»

Eine merkwürdige, jugendliche Kumpanei war zwischen ihnen entstanden. Beide hatten nur ein Lokal gesucht, in dem sie sitzen und reden konnten. Doch plötzlich waren sie zu Komplizen geworden.
Harald Stobbe konnte nicht aufhören, Mahmut zu versichern, wie schlimm er das Verhalten der Kellnerin und des Konditors fand.
«Früher», sagte Mahmut, «früher dachte ich immer, man gewöhnt sich irgendwann daran, aber das stimmt nicht. Man findet sich nur damit ab.»
Mahmut bot seinem Schwiegervater wieder eine Zigarette an. Er nahm sie und stellte beim ersten Lungenzug fest, daß er nun schon die zweite Zigarette vor dem Mittagessen rauchte. Mahmut versicherte, er kenne ein gutes und billiges türkisches Lokal, da wollte er seinen Schwiegervater hinführen.
Er willigte ein und fragte sich plötzlich, warum er Mahmut nicht mit zu sich nach Hause nahm. Im Grunde, dachte er, verhältst du dich nicht viel anders als die Leute in dem Café. Du gehst zwar mit ihm spazieren, aber du kommst nicht auf die Idee, ihn zum Mittagessen nach Hause einzuladen. Vielleicht sollte ich ... aber was würde Eva sagen ... sie ist darauf nicht vorbereitet. Besser wir komplizieren nicht alles noch mehr.
«Woher können Sie so gut Deutsch?»

Jetzt siezte er ihn wieder. Gerade hatte er ihn noch geduzt. Sie mußten eine Regelung finden.
«Nicht alle Deutsche sind so blöd wie die da. Es gibt auch gute Menschen. Ich habe einige getroffen. Ich bin jetzt schon fast drei Jahre hier. Kam illegal über die Grenze als Asylant. Aber bevor ich mich bei Polizei gemeldet habe, war ich fast sechs Monate illegal hier. Ich wollte erst wissen, wie das alles läuft hier. Mit Polizei und so. Erst war viel schwer. Türkische Freunde haben mir geholfen mit Geld und Bett und so. Dann hat eine alte deutsche Frau mich aufgenommen. Sie war sehr gut. Ehrlich. Sie hat mir ein Zimmer gegeben und alles gemacht. Wie eine Mutti. Ich habe auch Mutti gesagt zu ihr. Sie hat Wäsche gewaschen. Für mich gekocht. Ich hatte nicht immer Geld, um zu bezahlen. Aber für sie war das nicht schlimm. Ich glaube, sie war sehr einsam. Sie hat mir deutsch gelernt. Jeden Abend mit einer Tafel und hinterher mit Heften. Wie in eine richtigen Schule. Ich glaube, sie war früher mal eine echte Lehrerin. Dann hat sie geheiratet und aufgehört. Jetzt war ihr Mann gestorben, und sie wollte gerne noch einmal einen Schüler haben. Sie hat mir auch geholfen mit Behörden und so ...»
Sie erreichten die Parkanlagen. Schon knirschte der Kies unter ihren Füßen. Harald Stobbe begann zu frieren. Er rieb sich die Arme. Eine Ente flatterte hoch und landete schnatternd im Teich.
Irgendwie beneidete Harald Stobbe diese Tiere plötzlich. Für sie schien die Welt einfach zu sein. Sie glitten still übers Wasser, wurden gefüttert, schliefen irgendwann und starben, wenn sie alt genug waren. Seine Probleme kamen ihm ungleich schwieriger vor.
Wie sollte er diesem jungen Mann – nachdem was passiert

war – die Ehe mit seiner Tochter ausreden?
Er sollte eine Rolle spielen, die ihm unangenehm war. Einen Text sprechen, der nicht zu ihm passte.
«Mach nicht das dufte Bild kaputt, das ich von dir habe!»
Dieser Satz von Elke wollte ihm nicht aus dem Kopf. Vielleicht war dieser Satz das größte Kompliment, das eine Tochter ihrem Vater machen konnte . . . aber es war auch eine Drohung: «Mach jetzt nichts Kleinkariertes. Bitte, Vati, fang nicht so an!»
Wahrscheinlich, dachte er, bin ich jetzt dabei, etwas sehr Kleinkariertes zu machen. Wahrscheinlich verliere ich die Achtung meiner Tochter, weil ich sie vor Nachteilen schützen will.
«Es ist noch ein ganzes Stück. Sollen wir uns auf eine Bank setzen?»
Harald Stobbe nickte.
Mahmut zeigte auf eine Bank und sagte: «Setzen wir uns trotzdem.»
Harald Stobbe wollte fragen, was er mit «trotzdem» meinte, da sah er die Schrift auf der Bank: «Nur für Deutsche.» Die Buchstaben waren groß und fein säuberlich ausgemalt, nicht schnell hingeschmiert, sahen richtig offiziell aus. Es war nicht offiziell, aber es sah so aus. Harald Stobbe stellte erschreckt fest, daß auch auf den anderen Parkbänken diese Inschrift in knalligem Rot leuchtete. Es war ihm nie aufgefallen. Dabei durchquerte er diesen Park fast täglich.
Als er sich setzte, bemerkte er, daß die Buchstaben bereits einmal nachgemalt worden waren. Wahrscheinlich hatte die Witterung sie unleserlich gemacht.
Warum, fragte er sich, überpinselt niemand diese Schmierereien?

«Jetzt erzähl mal, wie war das denn mit meiner Tochter und mit dir? Warum bekommst du kein Asylrecht, wenn du wirklich verfolgt wirst?» fragte Harald Stobbe und nahm eine dritte Zigarette an.

6

Er hielt sich die Nase zu und tauchte unter. Das war ein Gefühl! So faul und breit in der warmen Wanne zu liegen und den Gedanken freien Lauf zu lassen. Er stemmte sich wieder hoch. Dabei schwappte eine Welle über den Wannenrand. Er bleckte seine Eichhörnchenzähne, nahm den Zahnstocher vom Beckenrand und puhlte sich die Reste vom Essen aus den Lücken.
Die Welt konnte so schön sein. So einfach, so unkompliziert. Aber nicht, wenn man eine Tochter hatte, die gerade achtzehn war und nun begann, sich für die Welt zu interessieren. Sie sah das Unrecht, wollte helfen, wollte Veränderungen und verrannte sich natürlich.
Er hörte das Knallen der Haustür. Eva kam vom Einkaufen zurück. Mit drei vollen Plastiktüten lehnte sie sich gegen die Badezimmertür und rief: «Na, wie war es?» – «Ich komme sofort!»
Er stieg aus der Wanne und trocknete sich ab. Jetzt mußte er alles Eva beibringen und hinterher vermutlich mit Elke darüber reden. Dabei wäre er zu gerne in der Wanne geblieben, um Zeitung zu lesen.
Wie sollte er anfangen? Bei Mahmut klang alles so echt, so überzeugend. Er konnte nur versuchen, das Gehörte zu referieren. «Natürlich liebe ich mein Vaterland», hatte Mahmut gesagt. «Meine Liebe zu meinem Land ist im Augenblick der unversöhnliche Haß gegen die, die es unterdrücken.»

Wenn ich das Eva so sage, dann lacht die, dachte Harald. Aus meinem Mund klingt das lächerlich. Wie soll ich alles verständlich machen? Alles, was ich sagen kann, könnte er viel besser, viel überzeugender sagen.
Als er in die Küche kam, stand Eva schon an der Arbeitsplatte und schnitt mit einem gewaltigen Messer Schweinefleisch in kleine Würfel. Sie liebte große, scharfe Küchenmesser und besaß mindestens drei Dutzend.
Sie stand mit dem Rücken zu ihm. Ohne sich umzudrehen, fragte sie: «Na, hast du den Eindruck, daß er von einem räuberischen Reitervolk abstammt?»
«Wie, ich verstehe nicht?»
«Schon gut. Nimm die Zwiebeln und schneid sie in Viertelstückchen. Es gibt Gulasch.»
Harald wählte ein kleines Messer mit Holzgriff, holte sich ein Brettchen und fünf Zwiebeln. Während er zu schneiden begann, suchte er nach Worten.
«Also, wie soll ich dir das sagen? Er ist ein ganz netter Kerl ... nicht einer von denen ... na, du weißt schon, was ich meine ...»
«Nein, weiß ich nicht.»
«Du machst es mir nicht gerade leicht.»
«Na hör mal, was soll das denn heißen? Beichtest du hier einen Seitensprung oder was? Was soll ich dir denn leicht oder schwer machen?»
«Ich hätte ihn mitbringen sollen.»
«Mitbringen? Du meinst, hier in unsere Wohnung?»
«Ja, damit du dir selber ein Bild machen kannst.»
Eva schluckte. Sie verstand. Er hatte sich den jungen Mann nicht «vorgeknöpft». Im Gegenteil. Er hatte sich von ihm einwickeln lassen. Sie warf die Fleischstückchen in brutzelndes Fett, um sie anzubraten.

Die ersten geviertelten Zwiebeln nahm sie von seinem Brettchen und gab sie dazu.
«Spricht er Deutsch?»
«Hervorragend.»
«Was macht er? Wovon lebt er?»
«Er lackiert Autos am Fließband.»
«Hat er nichts gelernt?»
«Er hat in der Türkei studiert, brach sein Studium aber ab und floh in die Bundesrepublik.»
«Warum?»
«Weil sie seinen Bruder aufgehängt haben.»
Fassungslos sah Eva ihn an.
«Warum?»
«Weil sie seinen Bruder aufgehängt ...»
«Das kann jeder erzählen.»
«Er hat mir einen Zeitungsausschnitt gezeigt. Ich kann zwar kein Türkisch, aber auf dem Foto war jemand zu sehen, der an einem Strick hing, das ist nicht zu leugnen. Den Namen konnte ich auch lesen, und die Familiennamen stimmten überein.»
Eva setzte sich und stützte den Kopf auf die Handflächen.
«Das ist ein Ding.»
«Du, der hat mir so viele schauerliche Sachen erzählt, daß ich danach das Gefühl hatte, sofort in die Badewanne zu müssen.»
«Wer hat seinen Bruder umgebracht? Die Regierung?»
«Nein, nicht so direkt. Er nannte diese Leute Graue Wölfe. Wir haben mal im Fernsehen einen Bericht darüber gesehen. Die gibt es hier auch. Rechtsradikale Türken. Sie terrorisieren ihre Gegner wohl mit Billigung der offiziellen Behörden. Das behauptet jedenfalls Mahmut. Er sagt auch, sie handeln manchmal in deren Auftrag.»

«Ja, aber warum?»
«Er sagt, sie hätten eine illegale Zeitung verteilt und Plakate geklebt.»
«Deswegen bringt man doch niemanden um.»
Harald zuckte mit den Schultern. Für ihn klang das auch alles ein bißchen abenteuerlich, aber er glaubte Mahmut.
«Mahmut sagt, daß er Kurde sei. Die Kurden sind in der Türkei eine unterdrückte Minderheit. Vielleicht so wie früher bei uns die Juden . . . naja – vielleicht nicht ganz so . . . und sie dürfen ihre Sprache nicht sprechen, weil es offiziell in der Türkei gar keine Kurden gibt.»
«Davon steht nichts in unserem Lexikon.»
«Hä?»
«Ach, nichts. Erzähl ruhig weiter. Finde ich alles sehr interessant.»
«Ja, und Mahmut und sein Bruder, die kämpften gegen diese Zustände. Forderten ihr Recht auf eine eigenständige Kultur und ihre eigene Sprache. Er sagt, es war Zufall, daß sie seinen Bruder aufgehängt haben. Es hätte ihn genausogut treffen können. Er war nur nicht zu Hause, als sie kamen.»
«Wann kommt er? Du hast ihn doch eingeladen – oder nicht?»
«Heute zum Abendessen.»
«Weiß Elke schon davon?»
«Nein, noch nicht.»
Harald versuchte in ihren Augen zu lesen, was sie empfand. Die Rolle des starken Mannes, der für seine Familie die Kastanien aus dem Feuer holt, hatte er nicht gerade gespielt. Aber das war auch nie sein Anspruch gewesen. Auch wenn die Pferde manchmal mit ihm durchgingen.

In Evas Augen sah er eine gewisse Freude. Schadenfreude vielleicht, weil es ihm nicht gelang, sich durchzusetzen. Weil er sich einwickeln ließ. Es konnte aber auch die Freude auf den neuen Besuch sein, ein interessantes Gesprächsthema und einen gemütlichen Abend. Harald fühlte sich wie ein Quizkandidat. Es war auch möglich, daß Eva schon nach kurzer Zeit Mahmuts Geschichte widerlegte.

Es war nie ratsam, sie zu belügen. Mit ihrer Fragerei, die ihn manchmal zur Weißglut brachte, bekam sie immer die Wahrheit heraus. Er hatte ein bißchen Angst davor, Mahmut könnte ihrem netten Verhör nicht gewachsen sein. Damit wäre er selbst als Dummkopf überführt. Schließlich hatte er ihm die Geschichte abgenommen.

Er setzte sich mit einer Zeitung ins Wohnzimmer. Er blätterte sie ganz durch. Das Wort Türkei kam nicht vor. Dann versuchte er es mit der Wochenillustrierten. Ebenfalls Fehlanzeige. Als Erdkundelehrer wußte er, wo Kurdistan lag. Es war zwar auf keiner Karte eingezeichnet, aber Schüler fragten ihn manchmal, weil sie das Buch «Durchs wilde Kurdistan» von Karl May gelesen hatten. Es gab nicht nur ein Türkisch-Kurdistan, sondern Teile des Landes mußten auch noch in Syrien und im Irak sein. Er ärgerte sich, daß er so wenig wußte. Und das als Lehrer. Er fürchtete, sich vor seiner Tochter und seiner Frau zu blamieren. Auch daß er nicht über die politische Lage in der Türkei informiert war. Natürlich. Dort gab es eine Militärdiktatur. Das wußte er. Aber wie hießen die Repräsentanten? Wie stellte sich die Bundesregierung dazu?

Wo hast du nur in den letzten Jahren gelebt? dachte er. Früher haben dich alle politischen Fragen brennend in-

teressiert. Da bist du sogar zum Kollegenstammtisch von der Gewerkschaft gegangen, um tagespolitische Dinge zu diskutieren. Heute siehst du nur noch die Tagesschau, und die auch nicht alle Tage. Ist das Video daran schuld? Und in der Tageszeitung liest du meist nur die Überschriften. Mehr Zeit ist morgens nicht. Das Haus frißt mich auf. Ja, früher! Aber die Kosten für das Haus müssen wieder rein. Da fällt so manches weg. Eben auch der Kollegenstammtisch. Und dann fast jeden Nachmittag die Nachhilfestunden. Da bleibt einem keine Zeit mehr, sich ausführlich über das Weltgeschehen . . . Trotzdem. Es ist blamabel. Gerade für mich. Als Lehrer. Wo bei uns Hunderttausende von Türken rumlaufen. Paar Millionen? Nicht mal die Zahl weiß ich annähernd.
Er sprach laut, aber zu sich selber: «Es wird Zeit, Harald, daß du mal wieder liest, politische Sendungen siehst, mit Kollegen redest.»
«Und mit deiner Frau», sagte Eva aus dem Hintergrund. Es roch schon nach frisch gebratenem Fleisch. Doch Eva kam mit einem Tablett an, auf dem Brot und ein bißchen Aufschnitt lagen.
«Wir essen erst Gulasch, wenn der Besuch kommt. Heute mittag gibt es eben nur ein paar Schnitten.»

7

Elke kam vom Sportnachmittag und spürte sofort, daß etwas passiert war. Die Wohnung hatte die gewohnte Ordnung. Alles stand an dem gewünschten Platz. Die Fenster spiegelblank. Keine Staubwolke. Kein Krümel. Der Teppich sah aus, als ob er jeden Tag gebürstet würde. Das alles war immer so.
Und doch wirkte es heute anders auf Elke. Die Wohnung machte einen vorbereiteten Eindruck auf sie. Nichts war anders und doch wußte sie, sie haben ihn eingeladen! Er wird noch heute abend kommen.
Sie liebte es, ihre Eltern zu verblüffen. Sie ging sofort zum Angriff über.
«Ihr habt euch also gut verstanden?»
Harald wollte gerade mit einem Stapel Schülerhefte in der Hand den Raum durchqueren, um sie in sein Arbeitszimmer zu bringen. Er blieb stehen und musterte seine Tochter. Wenn sie so tat, als ob sie hellsehen könnte, dann wollte er es ihr mit gleicher Münze heimzahlen.
«Ihr habt euch also schon getroffen!» triumphierte er.
Sie schüttelte den Kopf.
«Nein, Vati, haben wir nicht.»
Jetzt war er baff.
«Ja aber ... woher weißt du?»
«Ach, Frauen haben eben für so etwas einen sechsten Sinn. Ich spüre es. Es schwingt in der Luft.»
«Blödsinn», murmelte er und schlürfte in sein Arbeits-

zimmer, wo er die Hefte gedankenverloren auf einen Stuhl legte.

Eva deckte schon den Tisch. Acht Teller. Jeweils zwei pro Person. Drei Kerzen in die Mitte und das gute Besteck. Leider fand sie die Stoffservietten nicht. Jetzt mußte sie welche aus Papier nehmen. Sie wollte sich noch zurecht machen.

Plötzlich freundete sie sich mit dem Gedanken an, daß sie vor dem Essen noch einen Klaren trinken könnte. Sie wollte sich ohnehin die Zähne putzen. Es würde nicht auffallen. Außerdem war sie ziemlich aufgeregt und so ein Schnaps, der beruhigte kolossal.

Sie goß sich gleich zwei hintereinander ein, stellte dann die Flasche in den Kühlschrank zurück und spülte das Glas sofort aus. Harald brauchte nicht zu wissen, daß sie schon vor dem Abendessen . . .

Sie entschied sich für das dunkelblaue Kleid. Knielang, einfacher Schnitt. Nur der Kragen war auffällig groß und mit weißen winzigen Rüschchen besetzt. Sie suchte nach einer passenden Kette.

Als sie vor dem Spiegel stand und sich den Ponny toupierte, erschrak sie plötzlich über ihre Geschäftigkeit. Warum tat sie das alles? Warum benahm sie sich wie ein Teenager vor dem ersten Rendezvous? Ihre Augen hatten einen erwartungsvollen Glanz. Sie begann, sich vor sich selbst und ihrer Tochter zu genieren. Was mußte Elke von ihnen denken? Erst dieser Streit, die wüste Ablehnung und Empörung. Und jetzt taten sie so, als käme ein lang erwarteter Freund endlich zu Besuch.

Als sich alle drei wieder im Wohnzimmer trafen, mußten die Eltern erkennen, daß Elke sich nicht schick gemacht hatte. Sie trug noch die Sachen, mit denen sie vom Sportunterricht gekommen war. Unter jeder Achsel einen verfilzten Schwitzfleck.

«Willst du dich nicht um ...»

«Nein, will ich nicht! Ich finde es echt albern, was ihr hier aufzieht.»

«Ach nee, wer hat uns die Sache denn eingebrockt?»

«Eingebrockt, eingebrockt! Hört mal, Ihr kapiert wohl immer noch nichts! Ich habe Mahmut zufällig auf der Straße kennengelernt. Ich blieb stehen, weil er so gut tanzte.»

«Er tanzte? Auf der Straße?» fragte Eva unsicher.

«Ja. Das war so eine Aktion von ihrem Kulturverein. Sie tanzten auf der Straße, einer spielte türkische Musik, und sie verkauften kleine Portionen Hammelfleisch. Ich blieb stehen und sah mir alles an. Es roch gut und war auch sonst interessant. Es sollte so eine Art Verständigungskundgebung sein. Sie wollten damit die Ausländerfeindlichkeit abbauen. Und ich kam mit ihnen ins Gespräch und fragte, warum nur Männer tanzten. Da forderten sie mich auf, mitzutanzen. Ich lernte schnell ein paar Schritte, und dann wurde es ganz lustig. Hinterher haben mir ein paar Kurden von ihrer Situation erzählt. Von der Militärregierung bei ihnen und den Ausländergesetzen bei uns. Als ich ihre Verzweiflung sah, wollte ich helfen. Ich sah sehr schnell ein, daß es nur eine wirklich schnelle Hilfe gab. Heiraten. Sonst würden sie abgeschoben werden. Am liebsten hätte ich sie alle geheiratet. Aber es war schon mit einem schwer genug. Ohne seinen Anwalt wäre das gar nicht gelaufen ...»

Eva nahm ihre Tochter in den Arm. Sie wollte ihr Verständnis zeigen. «Aber, wenn die Gerichte alle Asylanten

ablehnen, woher kommen dann die vielen Türken?»
«Die sind in ihrem Heimatland von der deutschen Industrie angeworben worden. Schließlich brauchte man hier billige Arbeitskräfte, Gastarbeiter. Aber zwischen Gastarbeitern und Asylanten ist ein großer Unterschied. Die einen kommen her, weil man ihnen hier Arbeit versprochen hat. Die andern, weil sie in ihrer Heimat verfolgt werden. Sie wollen hier politischen Schutz. Und den bekommen sie nicht.»
«Versteh ich nicht. Warum denn nicht?»
«Weil wir Verbündete der Türkei sind. In der NATO. Sagt Mahmut. Und weil die Türkei einen Brückenkopf zur Sowjetunion darstellt und deswegen militärisch unheimlich wichtig ist, sagt Mahmut.»
Harald war über die Argumentationsketten seiner Tochter überrascht. Aber er wollte ihr nicht so ganz folgen.
«So . . . so, sagt Mahmut . . .» murmelte er.
«Aber mir ist diese militärische Sache egal. Tatsache ist, daß Mahmut gefoltert wurde. Ich habe die Wunden unter seinen Füßen gesehen. Deswegen habe ich ihm geholfen. Und ich bin stolz darauf.»
Harald Stobbe rückte sein Jacket zurecht. Eine Befürchtung machte sich in ihm breit.
«Elke, hast du etwa in der Schule etwas von deinem – äh Schritt – erzählt?»
Sie sah ihn trotzig an, als ob sie die Frage nicht verstanden hätte.
Er fühlte sich sogleich unwohl. In einer Verteidigungsposition.
«Ich meine, weiß jemand, daß du . . .»
Sie schüttelte den Kopf.
«Nein, niemand. Ich werde doch die Ehre meiner Familie

nicht in den Dreck ziehen.»
«Kind!» rief Eva, «das darfst du nicht sagen. Aber du läufst rum wie ein offenes Rasiermesser. Man hat Angst, dich zu berühren. Was haben deine Eltern dir eigentlich getan? Jetzt zeigen wir schon Verständnis, versuchen, das Beste daraus zu machen und du ... Du bist nur patzig. Aufsässig. Was willst du dir beweisen, indem du deine Eltern terrorisierst?»
Elke tippte sich mit dem Zeigefinger gegen die Stirn: «Terrorisierst!»
«Na gut, das stimmt nicht, aber du machst uns das Leben schwer. Jawohl, schwer!»
Elke überlegte eine Sekunde. Eva sah gleich, daß ihre Tochter jetzt etwas Hartes sagen würde. Etwas, das besser nicht gesagt werden sollte.
«Weil ich euch verlogen finde. Erst fallt ihr fast um, weil ich einen Türken geheiratet habe, und jetzt seid ihr ganz aus dem Häuschen, weil er zu Besuch kommt. Macht euch schick, es gibt etwas Warmes zum Abendbrot. Kerzen auf dem Tisch. Aber insgeheim habt ihr nur Angst davor, daß einer was erfährt. Hauptsache, ich sage in der Schule nichts, und die Nachbarn erfahren nichts.»
Sie zeigte mit dem Finger auf Harald. Wie Schüsse feuerte sie die Worte auf ihn ab: «Was machst du, wenn zufällig Kollegen von dir hier vorbeikommen und klingeln? Versteckst du Mahmut im Keller? Erzählst du ihnen was von einer kleinen Familienfeier? Oder willst du ihn etwa vorstellen? Und als was willst du ihn vorstellen? Freund des Hauses? Schwiegersohn? Armen Türken, der ...»
«Hör auf!» schrie Harald. «Hör jetzt auf, bevor ich mich vergesse.»

«Was soll das nun wieder heißen, willst du mich verdreschen oder was?»
Harald Stobbe ließ sich in den Sessel fallen und starrte die Wand an. Er hatte Magenschmerzen und ein beunruhigendes Dröhnen in den Ohren. Seine freudige Erwartung war hinüber.
Plötzlich ging Elke zur Treppe und rief – schon halb oben: «Hab ich nicht so gemeint. Ich zieh mich jetzt schnell um!»
Eine Weile saßen Harald und Eva wie erstarrt. Dann trafen sich ihre matten Blicke.
Eva hob die Hand und ließ sie schlapp wieder fallen.
«Sie hat es nicht so gemeint! Pha, nicht so gemeint.»
«Man darf sich das alles nicht so zu Herzen nehmen», mahnte Harald. Ihm war schon wieder nach einer Zigarette zumute. Aber sie hatten keine im Haus.
Er gab vor sich selber zu, daß es ihn einige Überwindung kostete, nicht zum Kiosk zu laufen und welche zu holen.
Sie gingen gemeinsam in die Küche, um das Essen ein letztes Mal abzuschmecken. Sie hakten sich unter wie ein jung verliebtes Paar.
«Meinst du, ich soll noch etwas Knoblauch reintun? Die essen viel schärfer als wir.»
Er schüttelte den Kopf. «Bloß nicht, was sollen meine Schüler sagen, wenn ich morgen stinke wie ein ...»
Er schluckte.
«Wie ein Türke wolltest du sagen.»
Er nickte resignierend.
Aufmunternd puffte sie ihm in die Seite.
«Du lernst es nie.»
Sie holte den Klaren aus dem Eisfach und goß sich und Harald ein Glas ein. Sie prosteten sich zu, und Eva

zwinkerte mit den Augen. Damit hatte sie ihn schon vor Jahren auf andere Gedanken gebracht, als sie sich gerade erst kennengelernt hatten.
Er zwinkerte zurück. Dann stieß sie ihn wieder an und sagte: «Knödelfresser.»
Er konterte: «Lumumbaneger.»
«Spaghettifresser.»
«Kümmeltürke.»
«Käsekopp.»
«Russischer Bär!»
«Englischer Fischkopp!»
«Bimbo.»
Bei jedem Wort stießen sie sich an, und nach dem dritten Glas kicherten sie schon.
«Du bist dran», sagte er.
«Mir fällt nichts mehr ein.»
Er strich ihr eine der toupierten Haarsträhnen aus der Stirn.
Elke erschien fertig umgezogen in der Küche und staunte: «Hier herrscht ja eine Bombenstimmung.»
Harald und Eva nickten.
«Darf man fragen, warum?»
«Wir haben gerade festgestellt, daß wir uns lieben!»
Amüsiert betrachtete Eva das erstaunte Gesicht ihrer Tochter. Warum sollten immer nur die Kinder ihre Eltern schockieren? Um die Verblüffung ihrer Tochter auszunutzen, wollte sie sagen: «Oder glaubst du, wir schlafen nicht mehr miteinander, bloß weil wir eine fast erwachsene Tochter haben?»
Sie kam aber nicht mehr dazu.
Es klingelte.
Alle drei rannten gemeinsam zur Tür. Sie sahen sich an.

Wer sollte öffnen?
Harald entschied, daß er als Familienoberhaupt ...
Elke stand neben ihm. Eva stellte sich auf Zehenspitzen und lukte ihrem Mann neugierig über die Schulter.
Mahmut Perver spielte den Strahlemann, und Eva war beeindruckt. Ihre Wangen glühten.
Mahmut überreichte ihr einen riesigen Strauß Chrysanthemen mit einigen roten Nelken. Eva mußte den Strauß mit beiden Händen anfassen. Er war sicherlich nicht billig. Und woher sollte Mahmut wissen, daß er die absolute Friedhofsmischung angeschleppt hatte? Eva ekelte sich schon vor dem Geruch. Seit der Beerdigung ihrer Mutter konnte sie keine Chrysanthemen mehr ausstehen. Eva umging die persönliche Anrede. Sie brachte es nicht fertig, Schwiegersohn zu sagen. Auch die Frage nach dem Du oder Sie war noch nicht geklärt.
Pervers Flasche Raki wurde in den Kühlschrank gestellt, und Eva nahm Harald im letzten Moment die Weinflasche ab. Er hatte den Korken schon fast zerbröselt. Nur mit einiger Geduld und viel Geschicklichkeit konnte sie ihn retten. Sie warf ihrem Mann einen vorwurfsvollen Blick zu.
Elke und Perver saßen schon am Eßtisch.
«Weißt du, eigentlich sind meine Eltern echt in Ordnung. Manchmal bin ich richtig stolz darauf, daß ich so dufte Eltern habe. Aber als ich denen von unserer Hochzeit erzählt habe, da sind sie ganz schön ausgeflippt. Das war ein Eiertanz, kann ich dir sagen!»
Eva und Harald sahen sich hilflos an. In welche Situation brachte Elke sie? Einer von ihnen mußte reagieren, darauf etwas sagen. Evas Blick war eindeutig. Sie konnte mit den Augen ganze Sätze ausstrahlen. Jetzt hatte sie ge-

funkt: «Ich habe die Weinflasche geöffnet. Nun bist du dran.»
Perver erkundigte sich, was das sei, ein Eiertanz. Elke erklärte es umständlich. Perver fand dann das Wort komisch und wiederholte es unablässig. Dadurch gewann Harald Zeit. Als er sich endlich einen Satz zurechtgelegt hatte, stießen sie bereits die Weingläser zur Begrüßung aneinander.
«Ja also, natürlich waren wir nicht gerade begeistert, als uns unsere Tochter von der Hochzeit erzählte. So etwas macht man eigentlich nicht ohne seine Eltern. Aber wie das manchmal so ist, man lernt ihn kennen, und schon sieht alles ganz anders aus. Also, herzlich willkommen und äh Prost.»
Sie tranken und Mahmut lobte den Wein und erklärte: «Ihre Tochter hat mich so geholfen. Hat mein Leben gerettet. Das vergesse ich nie in mein Leben. Ehrlich.»
Eva rettete sich in die Küche und holte den Raki aus dem Eisfach. Ihr war zum Heulen zumute.
«Ja, dann auf – worauf trinken wir denn?» fragte Harald mit schon erhobenem Schnapsglas.
«Auf das junge Brautpaar natürlich!»
Mahmut schüttelte den Kopf.
«Nein bitte. Ich möchte auf was anderes trinken, weil wir sind kein richtiges Brautpaar. Sie wissen. Wir haben nur geheiratet auf Papiere. Wir sind wie Bruder und Schwester.» Eva schluckte. Mahmut fuhr fort: «Darum möchte ich trinken auf die Freiheit von mein Land. Freiheit für die unterdrückten Menschen in der Türkei und in Kurdistan. Unsere Völker sollen frei sein!»
Harald Stobbe hatte noch nie in seinem Leben bei einem politischen Trinkspruch angestoßen. Aber die überzeugte

Art, mit der Mahmut sprach, und die Begeisterung, mit der er jetzt seinen Raki runterspülte, ließen keinen Protest zu.
«Oh, der ist aber stark.»
«Schmeckt wie Lakritz.»
«Ja. Das ist türkischer Schnaps. Anisschnaps. Man trinkt eigentlich mit Wasser.»
«Haben die Griechen nicht auch so einen Schnaps? Ich meine, wir waren mal beim Griechen essen und haben da ...»
«Ja, aber der heißt anders. Ouzo und ist nicht so stark. Türkischer Raki ist beste.»
Sie lachten und füllten erneut die Gläser.
«Ich bin schon ganz beduselt», kicherte Elke.
Eva wollte jetzt servieren.
Sie stellte eine Art Bowleschüssel auf den Tisch. Harald beugte sich vor und roch.
«Hm. Wie das duftet.» Er schielte zu Mahmut und sagte: «Mit Knoblauch. Knoblauch gehört ans Essen, nicht wahr?»
Mahmut wirkte verlegen. Er knackte mit den Fingerknöcheln.
«Ja, Knoblauch schmeckt ganz gut. Aber seit ich in Deutschland bin, esse ich immer ohne Knoblauch.»
Wieder wechselten Eva und Harald einen unsicheren Blick.
Mahmut erklärte: «Deutsche Leute sagen immer, Türken stinken. Darum esse ich kein Knoblauch. Ich möchte auch neben deutsche Leute in der Straßenbahn stehen können.»
Harald lachte aufgesetzt.
«Na, dies eine Mal wird es wohl nichts schaden!»

Mahmut beugte sich zu ihm vor: «Ich denke so, deutsche Leute stinken auch manchmal ganz fürchterlich. Ich bin schon oft aus Straßenbahn gestiegen, weil neben mir Frau stand, die so stank nach Parfüm! Ich konnte es nicht aushalten.»
Jetzt kicherte Elke, und auch Eva konnte sich ein Grinsen nicht verkneifen.
Harald lud das Essen auf die Teller.
«Ja, dann äh – guten Appetit!»
Harald, Eva und Elke konzentrierten sich gleich auf ihre Gulaschstückchen. Schließlich hatte es mittags nur Schnitten gegeben, und sie waren eine warme Mahlzeit, die pünktlich auf den Tisch kam, gewohnt.
Mahmut stocherte verlegen in seinem Essen herum und schob die Fleischstückchen von einem Tellerrand zum anderen. Er wagte nicht, den anderen in die Gesichter zu sehen und rutschte nervös auf seinem Stuhl hin und her.
Elke bemerkte sein Verhalten als erste.
«Was ist los? Schmeckts dir nicht?»
«Doch, schmeckt gut, ehrlich. Aber ich möchte das lieber nicht essen, weil – ich esse kein Schweinefleisch.»
Eva und Harald blickten sich betroffen an. Elke brüllte laut los: «Nein, das ist ja nicht wahr! Bist du etwa ein Religiöser? Glaubst du den ganzen Schnickschnack? In Indien sind die Kühe heilig und bei euch die Schweine – oder was?»
«Elke! Wie kannst du nur die Gefühle unseres Gastes so verletzen!»
Doch Elke war nicht zu stoppen. «Ach, Quatsch. Ich habe ihn nicht verletzt. Wenn er an solchen Blödsinn glaubt, dann werde ich ihn nicht noch bestärken. Du bist jetzt in der Bundesrepublik! Mitten in Westeuropa! Hier

gibt es an jeder Ecke eine Frittenbude mit Hamburgern und Bratwürstchen, da kann man doch nicht rumlaufen und so abergläubisch ...»

Mahmut unterbrach sie mit einer schroffen Bewegung.

«Ich bin nicht abergläubisch. Kein Religiöser. Aber wenn ich Schweinefleisch esse, dann bekomme ich so kleine Dinger davon – ach, wie heißt das? – Pickel, ja, Pickel bekomme ich auf der Haut. Alles wird ganz rot und geschwollen. Ich habe es schon oft versucht. Auch an Frittenbude.»

«Red dich doch nicht raus. Du glaubst den Scheiß!»

«Elke, bitte. Du wirst doch wohl einen anderen Glauben respektieren. Wir essen ja auch keine Hunde, und bei den Indianern soll das eine Delikatesse gewesen sein.»

Harald schämte sich für seine Tochter.

«Tu doch jetzt nicht so, als würde ich den Mahmut anmachen. Du brauchst den nicht zu verteidigen. Das kann der schon selber tun!» fauchte sie zurück. «Und außerdem ist es mir egal, was der ißt.»

«Soll ich beweisen? Ich esse jetzt Schweinefleisch, und morgen ich komme und zeige meine Haut. Dann du glaubst.»

Eva stand auf, nahm wortlos Mahmuts Teller und verschwand damit in der Küche. Sie kam mit einem Tablett zurück. Ein paar Schnitten Brot. Käse. Wurst.

Auf dem Weg ins Wohnzimmer wurde ihr klar, daß die Wurst überflüssig war. Wurst vom Schwein.

Mit dem Tablett in der Hand kam sie an Mahmuts Blumenstrauß vorbei, und wieder schlug ihr der widerliche Friedhofsgeruch der Chrysanthemen auf die Schleimhäute.

Sie konnte diese Blumen unmöglich den ganzen Abend

im Zimmer lassen. Ihr wurde schlecht davon.
Sie suchte nach einer möglichst eleganten Lösung.
Harald schenkte Wein nach. Bei Mahmut stoppte er plötzlich. «Äh, wie ist das, die Moslems dürfen doch auch keinen Wein trinken, oder?»
«Ja, das stimmt. Keinen Alkohol. Auch keinen Raki. Aber ich bin nicht religiös. Ich habe schon gesagt. Ich kann nur Schweinefleisch nicht vertragen.»
Eva nickte. «Ja, so etwas gibt es. Ich glaube, man nennt das psychosomatische Allergien.»
Mahmut grinste. Er verstand das Wort nicht. Eva fuhr fort: «Wenn man zum Beispiel ein schlimmes Erlebnis in seiner Kindheit hatte, mit – sagen wir – mit Erdbeerkonfitüre – dann ekelt man sich sein ganzes späteres Leben davor. Das kann zu Atemkrämpfen führen und zu Hautausschlag.»
Elke lachte schon wieder so unverschämt.
«Ich glaub, ich geh' kaputt! Immer dieser Psychologiekram aus den Illustrierten!»
«Ja, aber ich habe als Kind nie schlechte Erfahrungen mit Erdbeerkonfitüre gemacht.»
Elkes Lachen wurde noch lauter.
«Ist er nicht süß?»
Elkes Kichern, Evas feurige Wangen und Mahmuts Freundlichkeit lösten auch die Verkrampfung in Harald. Er trank noch einen Raki und beschloß dann, für den Rest des Abends nicht alles so genau zu nehmen und mitzulachen.
Eigentlich wollte er schwerwiegende Dinge mit Mahmut und Elke besprechen. Doch auch diesmal brachte er es nicht fertig. Mahmut selbst kam zum Thema.
«Mein Antrag auf Asyl ist abgelehnt worden vom Land-

gericht. Eigentlich müßte ich jetzt schon in der Türkei sein, aber mein Anwalt hat Einspruch gemacht. Darüber wird morgen verhandelt. Wenn sie da Einspruch ablehnen, dann ist Zelle im gleichen Haus und nach Abschiebehaft am anderen Tag geht ein Flugzeug nach Istanbul oder Ankara.»
«Wie, du bist doch verheiratet. Jetzt können sie dich gar nicht mehr ...»
Mahmut grinste breit. «Ja, aber das wissen sie nicht. Mein Rechtsanwalt ist eine gute Mann. Er hat gesagt, er will erst versuchen, eine wirkliche Revision – aber wenn das nicht geht, wenn die sagen, jetzt Mahmut in Gefängnis und dann zurück nach Türkei, dann sagt er: Geht nicht. Mahmut verheiratet. Hier Papiere. Kommt mit. Ich lade euch ein. Zugucken.»
«Wann ist das?»
«Elf Uhr fünfzehn.»
Ohne Mahmut zu fragen, fingerte Harald sich eine Zigarette aus Mahmuts Packung. Gedankenverloren zündete er sie an. Er nahm zwei Züge, legte sie in den Aschenbecher und vergaß sie dort.
Dann sagte er mitten in die Ruhe hinein: «Ich habe sowieso nach der dritten Stunde frei.»

8

Sie waren beide angetrunken. Sie rochen nach Knoblauch und nach Anisschnaps. Sie putzten sich nicht die Zähne. Auch Schlafanzug und Nachthemd ließen sie unberührt. Sie huschten nur mit ihrer Unterwäsche bekleidet unter die Bettdecken und rückten eng zusammen.
Eine Weile schwiegen sie und streichelten sich müde. Dann sagte Harald: «Wenn nicht einmal der Richter über die Ehe Bescheid weiß, dann ist bestimmt noch was zu machen. Wenn der Mahmut morgen Asylrecht bekommt, dann ist die Ehe völlig unnötig und kann annulliert werden.»
«Die Prinzessin Caroline von Monaco, die hatte so einen französischen Makler geheiratet. Richtig kirchlich mit riesigem Aufwand. Und weil das mit einer Scheidung nicht so einfach war, mußte der Vatikan – ich glaub, der Papst selbst, die Ehe annullieren.»
«Bei unserer Elke wird das wohl auch ohne den Vatikan gehen.»
Mit ihren Fingern kräuselte sie seine wenigen Brusthaare.
«Du kannst sagen, was du willst, ich finde, er ist ein netter Kerl.»
«Ja, Eva, aber darum geht es nicht.»
Als sie merkte, daß seine Zärtlichkeiten in Wahrheit nur nervöse Streichelbewegungen waren, schlug sie vor, jetzt zu schlafen.

9

Neugier spielte eine große Rolle. Auch eine Portion Interesse an Mahmut. Hauptsächlich aber kam Harald, weil er sich von der Verhandlung erhoffte, endlich eine Gesprächsgrundlage für die Annullierung der Ehe zu bekommen. Von der Schule aus ging Harald zu Fuß. Er durchquerte mit schnellen Schritten den Park. Ärgerte sich wieder über die Schrift auf den Parkbänken und kam dann in das Verwaltungsviertel. Die Häuser waren von dieser neuen Architektur, die ganze Stadtteile unbewohnbar macht.

Auf den Stufen zum Haupteingang dieses gläsernen Riesen hockte Mahmut Perver und rauchte hastig. Als er Harald sah, sprang er auf und lief ihm entgegen, um ihn zu begrüßen.

«Gut, daß du kommst. Ich habe keine Angst, aber es ist besser, wenn man nicht so alleine ist.»

Schon kam der Anwalt. Ein dürrer, langer Mensch mit glattrasiertem Gesicht und einem bläulichen Schimmer um die Lippen. Auch er rauchte mit ungewöhnlich hastigen Zügen.

Er begrüßte erst Mahmut, dann Harald.

«Und wer sind Sie?»

Harald zögerte mit der Antwort, da verkündete Mahmut laut und nicht ohne Stolz: «Der mein Schwiegervater.» Dabei klopfte er Harald fest auf die Schulter.

Der Anwalt lächelte: «Schön, daß Sie auch erschienen

sind. Ich kann Ihnen aber nicht versprechen, daß Sie mit dabei sein dürfen. Das hat ja in letzter Minute geklappt – mit der Ehe. Ich hatte schon Befürchtungen, die Zeit würde nicht mehr reichen. Es ist immer so schwierig, die Papiere zu bekommen. Die Botschaft stellt den Asylanten natürlich keine Papiere aus, verlängert auch deren Pässe nicht. Die Ausländerbehörden weigern sich erst recht, weil sie wissen, wenn der einmal mit einem deutschen Mädchen verheiratet ist, dann ist es fast unmöglich, ihn loszuwerden.»

«Als ich in Botschaft war, da haben sie zu mir gesagt, du bist doch eine Kurde, was willst du bei dem türkischen Konsulat? Geh doch zu eine kurdische Botschaft. Ich habe gesagt, aber ihr wißt ganz genau, es gibt keine kurdische Botschaft in der Welt. Ich würde gerne gehen, aber es gibt nicht. Ehrlich.»

«Ich glaube, wir müssen rein. Zimmer vierundzwanzig im Kellergeschoß.»

Hinter dem Glasportal gab es eine Art Informationsschalter, hinter dem jemand in einer Phantasieuniform saß und Kaffee aus einem Pappbecher trank. Der Mann vermittelte auch Telefongespräche und stöpselte an einem Schaltkasten herum. Er kümmerte sich nicht um die drei Besucher. Hinter ihm tauchte plötzlich ein Mann in schwarzer Robe auf. Er hantierte an dem Kaffeeautomaten herum, kam damit aber nicht klar.

«Herr Kollege?» fragte der Anwalt, «können Sie uns bitte sagen, wo es hier zum Kellergeschoß geht? Ich sehe weder eine Treppe noch einen Aufzug.»

«Hm. Welche Nummer?»

«Vierundzwanzig.»

«Ach, Sie kommen wegen der Abschiebung?»

«Nein, ich komme wegen der Wiederaufnahme des Asylantrages.»
«Jaja, meine ich ja.»
Der Mann in der schwarzen Robe erklärte mit einem verlegenen Lächeln den Weg.
«Da müssen Sie erst die Treppe rauf, dann rechts und dann sehen Sie schon den Fahrstuhl.»
Bedrückt gingen die drei Männer zur Treppe. Mit welcher Selbstverständlichkeit der von *Abschiebung* gesprochen hatte. Gab es hier überhaupt eine Chance für den Antragsteller?
«Die haben meine Zelle schon fertig. Die denken, gleich kommt Mahmut da rein. Wetten. Die wissen noch nicht, daß ich verheiratet bin.»
Die Situation kam Harald immer merkwürdiger vor. Dieses völlig verbaute Haus. Diese stummen Menschen, die durch die Gänge huschten wie Gespenster. Die Richter und Anwälte in ihren Verkleidungen. Warum kannte Mahmuts Anwalt sich in dem Gebäude nicht aus und mußte erst fragen? War er überhaupt Anwalt?
Vor dem Sitzungszimmer mußten sie noch ein paar Minuten warten. Stehend rauchten sie noch eine Zigarette. Harald erkundigte sich, worum es überhaupt genau gehen sollte.
«Also, das Asylverfahren ist für ihn eigentlich gelaufen. Er hat nur noch Zeit, seine Koffer zu packen und seine Wohnung aufzulösen und so. Man kann aber ein zweites Verfahren beantragen, wenn neue Gründe eingetreten sind. Wenn zum Beispiel zwischendurch sich die politischen Verhältnisse in einem Land drastisch ändern. Ein Militärputsch zum Beispiel. Oder wenn sich für den Antragsteller etwas grundlegend ändert oder wenn ganz

neue Beweise vorliegen. So eine Situation ist eingetreten. Wir haben neue Beweise für die politische Verfolgung von Mahmut Perver. Ich habe den Antrag eingereicht. Natürlich werden sie die Beweise nicht anerkennen. Es ist noch kein kurdischer Asylant anerkannt worden. Aber so konnten wir Zeit gewinnen, die Papiere zu beschaffen und die Hochzeit ...»

Jemand kam durch den Gang. Sofort schwieg der Anwalt und fuhr erst fort, als der andere am Ende des Flurs verschwunden war.

«Hier wird heute nur entschieden, ob das zweite Verfahren für Perver überhaupt zulässig ist.»

«Wie? Die können heute entscheiden, daß es gar keine zweite Verhandlung geben wird?»

«Ja. Und das tun sie auch im Regelfall, und dann behalten sie den Antragsteller gleich da. Darum sprach der Herr am Kaffeeautomat auch von Abschiebung. Normalerweise ist das hier der letzte Termin für einen Asylanten.»

Ein Herr in schwarzer Robe stolzierte auf die drei zu. Links und rechts neben ihm gingen zwei Männer um die fünfzig, die wie seine Leibwächter wirkten.

«Sie kommen», raunte der Anwalt.

Einer der beiden öffnete die Tür. Der andere nickte den Wartenden zu. Der Richter sagte: «Noch eine Minute, dann können wir beginnen.»

Hinter ihnen schloß sich die schwere Tür.

«Das war der von eben!» sagte Mahmut.

Der Anwalt nickte. «Ja, der hat gesagt: Sie kommen wegen der Abschiebung.» Er deutete einen Boxhieb gegen Mahmuts Kinn an. «Kopf hoch. Du bist doch verheiratet. Aber damit rücken wir erst zum Schluß raus. Wir versuchen zunächst, das zweite Verfahren durch-

zusetzen. Erst wenn das nicht klappt, ...»
«Warum sagen wir nicht einfach, Mahmut ist verheiratet jetzt?»
Der Anwalt beugte sich dicht an Mahmuts Ohr. «Wenn sie das zweite Verfahren zugestehen, zahlen sie die Kosten für diese Verhandlung hier. Im anderen Falle wir.»
Drei junge Leute näherten sich. Sie unterhielten sich fröhlich und kicherten. Sie betraten den Saal Nummer vierundzwanzig. Ihnen folgte der Anwalt, dann Mahmut Perver und recht unsicher Harald Stobbe.
Das Sitzungszimmer war schlicht eingerichtet. Es konnte ebensogut als Konferenzraum dienen. Vier lange Tische waren zusammengestellt. Am Ende des Zimmers saß in einem Ledersessel der Richter, flankiert von den beiden älteren Herren.
Zwei junge Mädchen und ein Nickelbrillenträger gruppierten sich auf der Längsseite zwischen Richter und Kläger.
Mit dem Rücken zur Tür, den Richter vor Augen, saßen Mahmut, sein Anwalt und Harald. Über der Tür hing ein Foto von Karl Carstens in einem goldlackierten Holzrahmen. Carstens machte einen betont gütigen Eindruck und blickte fast schmunzelnd auf das Gericht.
Nach einem kurzen Hin und Her über Verhandlungsvollmachten und fristgerecht eingereichte Akten fragte der Richter: «Wenn Sie also nicht wollen, daß wir den Antrag auf ein neues Verfahren als offensichtlich unbegründet ablehnen, dann legen Sie jetzt Ihre neuen Beweise vor und formulieren Sie den Antrag.»
«Ich nehme auf meinen schriftlich eingereichten Antrag Bezug.»
«Das reicht nicht aus. Dann können wir gleich zu einer

Entscheidung kommen, wenn Sie wollen. Sie haben in Ihrem schriftlichen Antrag nichts Neues vorgebracht, was darauf schließen lassen könnte, daß der Antragsteller in seiner Heimat einer politischen Verfolgung ausgesetzt sei.»

Der Richter sagte das alles sehr ruhig und ohne jeden bösen Tonfall in der Stimme. Er zupfte dabei seine Hemdsärmel zurecht, die aus der weiten Robe gerutscht waren. Der linke Beisitzer bohrte in der Nase. Als er die Blicke von Harald bemerkte, zog er erschrocken den Finger aus dem Nasenloch. Der Beisitzer ließ den Finger unter dem Tisch verschwinden. Jetzt schmiert das Schwein seine Rotze ans Stuhlbein, dachte Harald. Er fühlte sich gereizt und übelgelaunt.

Mahmuts Anwalt blätterte kurz in seinen Akten und sagte dann: «Ich verweise auf den von mir beigefügten Brief. Er liegt in amtlich beglaubigter Übersetzung vor. Es ist der Brief der Schwester des Antragstellers. Sie warnt ihn darin ausdrücklich, in die Türkei zurückzukommen. Sie sagt, sein Leben sei gefährdet. Weiterhin schreibt sie, der Vater sei verhaftet worden. Der Bruder des Antragstellers wurde vor etwa drei Jahren aufgehängt. Dieser Brief ist als eine persönliche Warnung zu werten und darf nicht unberücksichtigt bleiben.»

Harald hatte schon wieder Schwierigkeiten mit seinem Magen. Alles kam ihm so unwirklich vor. Wie ein Film. Er befürchtete, Durchfall zu bekommen. Er mußte jetzt dringend zur Toilette. Aber etwas zwang ihn, im Saal zu bleiben und gebannt dem Dialog zu lauschen.

Der Richter lächelte.

«Der Brief kann – falls er überhaupt in der Türkei verfaßt wurde – eine Gefälligkeit der Schwester für ihren

Bruder sein. Das können wir nicht nachprüfen. Jeder zweite kommt hier mit solchen Briefen an, in denen irgendwelche Greuelmärchen stehen. Außerdem, wenn der Bruder aufgehängt und der Vater verhaftet wurde, dann heißt das nicht zwangsläufig, daß ihm selbst auch etwas passiert. Bruder und Vater können wegen strafrechtlicher Delikte belangt worden sein. Wir können das nicht überprüfen.»

Harald Stobbe spürte kalte Wut in sich aufkommen. Was hier passierte, hielt er für undenkbar. Unmöglich in unserem Staat. Doch die Art und Weise, wie hier vorgegangen wurde, machte ihm deutlich, daß es etwas Alltägliches war. Routine. Die zwei Mädchen schrieben auf Stenoblöcken mit. Die Beisitzer saßen gelangweilt ihre Zeit ab. Der junge Mann wienerte mit einem Taschentuch die Gläser seiner Brille.

Mahmuts Anwalt versuchte es noch einmal: «Ich verweise auf die Akten. Der Antragsteller ist kurdischer Volkszugehörigkeit. Er reiste vor drei Jahren in die Bundesrepublik ein und beantragte die Anerkennung als Asylberechtigter. Dazu führte er im wesentlichen an, die Kurden seien in der Türkei eine benachteiligte, diskriminierte Minderheit. Es ist ihnen verboten, sich zu ihrer kulturellen oder nationalen Identität zu bekennen. Die kurdische Sprache ist verboten. Der Antragsteller hat seit seiner frühesten Jugend gegen dieses Unrecht gearbeitet . . .»

«Wollen Sie jetzt wirklich den ganzen Schriftsatz verlesen? Werter Herr Kollege. Es nutzt nichts. Sie müssen etwas ganz Neues vorbringen, um eine neue Verhandlung zu erreichen. Was Sie uns jetzt erzählen, ist alt. Mit dieser Begründung wurde der Antrag schon einmal abgewiesen.»

Wie kann Mahmut das ertragen? Was sind das für Menschen? dachte Harald.
Mahmut saß starr da. Nur seine Augen bewegten sich.
«Hohes Gericht, es liegen zwei Gutachten vor, daß die Wunden, die der Antragsteller unter den Füßen hat, von Folterungen stammen. Er ist zweimal verhaftet worden und der Bastonade unterzogen worden. Dann goß man Salzwasser über seine blutenden Füße.»
Der Richter schüttelte unwillig den Kopf.
«Die medizinischen Gutachten liegen mir vor. Ihrer Interpretation, Herr Kollege, kann ich aber nicht folgen. Fest steht nur, daß die Füße des Antragstellers in der beschriebenen Weise behandelt wurden. Es muß sich dabei aber nicht um Folter gehandelt haben. Der Antragsteller kann sich zum Beispiel selber so behandelt haben. Wenn die Behandlung durch Fremde verursacht wurde, so steht nicht fest, daß diese mit staatlichem Auftrag handelten. Es kann sich um eine Verbrecherbande gehandelt haben oder um eine politische Gruppe, die nicht mit staatlichem Auftrag vorging. Wir können das alles nicht überprüfen.»
Harald rieb sich die Schläfen. Er sah, wie Mahmut die Fäuste ballte. Seine starre Haltung wurde immer verkrampfter.
«Außerdem, Herr Kollege, selbst wenn die Folterungen von staatlicher Seite angeregt oder gebilligt wurden, so ist damit noch längst nicht gesagt, daß der Antragsteller aus politischen Gründen gefoltert wurde! Ja, die Motivation spielt hier eine entscheidende Rolle. Denkbar ist ebenfalls, daß die Folterungen unternommen wurden, um ein strafbares Verhalten aufzuklären oder zu verhindern. Das können wir alles nicht nachprüfen.»

«Ich bitte das hohe Gericht, die eigenen Worte zu überdenken. Eine solche Behandlung stellt eine erhebliche Verletzung der körperlichen Integrität dar und ist – offenkundig menschenrechtswidrig. Das muß asylrechtlich von Belang sein!»
Schreien, dachte Harald Stobbe. Man müßte schreien! Man müßte diese Verhandlung mit Rundfunksendern in die ganze Welt übertragen. Dieses Unrecht, diese Schande. Ich könnte schreien vor Wut und Scham. Das alles geschieht nun im Namen des Volkes!
«Ich habe hier nur zu prüfen, ob Sie etwas Neues vorzubringen haben. Wenn nicht, muß ich den Antrag auf eine neue Verhandlung als offensichtlich unbegründet ablehnen, weil der Verdacht entsteht, daß sich der Antragsteller damit nur erneut eine Duldung in der Bundesrepublik beschaffen will.» Er sah seine Beisitzer an. «Hat einer von Ihnen Fragen, meine Herren?»
Der Nasenbohrer hielt sich ganz raus. Der andere nickte.
«Ja, äh, ich hätte da mal eine Frage: Hat der Angeklagte, als er aus der Türkei kam . . .»
Mahmuts Anwalt unterbrach: «Der Antragsteller bitte.»
Der Richter ließ diesen Einwand mit einer gütigen Handbewegung gelten.
«Ja, äh also, was ich fragen wollte. Asylbewerber dürfen in den ersten zwei Jahren ihres Aufenthaltes in Deutschland nicht arbeiten.» Der Richter nickte wohlwollend.
«Richtig.»
«Ja, äh und man hört da doch heutzutage so viel von illegalen Arbeitern. Wo wir selber fast zwei Millionen Arbeitslose haben. Und da wollte ich fragen, ob – äh – der Angeklagte zugibt, auch schon als Illegaler gearbeitet zu haben. Von irgendwas muß er ja gelebt haben.»

«Danke für Ihre Frage, Herr Beisitzer. Aber ich glaube, Ihre Frage ist für die Verhandlung und die anstehende Entscheidung nicht relevant.»
«Ach so – äh ja. Dann hätte ich keine weiteren Fragen.»
Der Richter sah auf die Uhr.
«Tja, wenn Sie sonst nichts vorzubringen haben, dann muß ich wohl entscheiden, daß . . .»
«Verzeihen Sie, Hohes Gericht, wenn ich Sie unterbreche, aber ich glaube, daß aus zeitlichen Gründen dem Gericht noch Unterlagen zu den Akten fehlen, die ich hier rasch nachreichen möchte.»
Mahmuts Anwalt ging um die Tische und legte dem Richter ein Papier vor. Aufmerksam las der Richter. Der linke Beisitzer beugte sich vor und las mit.
Seine Gesichtszüge veränderten sich. Er wirkte längst nicht mehr so gelangweilt und gelassen. Ein Hauch von Enttäuschung, von Wut und von Sich-gelinkt-fühlen spiegelte sich in seinem Gesicht.
«Soll das heißen, daß der Ange. . der Antragsteller vor drei Tagen geheiratet hat?»
«Genau.»
«Eine Frau deutscher Staatsangehörigkeit?»
«Genau.»
«Das hätten sie mir doch gleich . . . also jetzt bin ich aber . . . Ich will jetzt hier nicht das leidige Thema der Scheinehen ansprechen . . .»
Haralds Nackenhaare richteten sich auf. Er hatte das Gefühl, sein Hirnwasser würde einfrieren.
«Ich würde mir im Namen meines Klienten solche Anspielungen auch verbieten.»
Der Richter stand auf. Er war geschlagen.
«Ja dann, äh – muß ich von einer Entscheidung zum

heutigen Termin absehen. Sie hören von mir.»
Mahmut, sein Anwalt und Harald erhoben sich ebenfalls. Die jungen Leute blieben sitzen. Sie warteten auf den nächsten Fall. Der Richter ging zum Fenster und zündete sich eine Filterzigarette an.
Die Beisitzer verstanden nicht, was eigentlich passiert war. Noch in der Tür hörte Harald, wie der Richter zischte: «Solch ein abgebrühter Hund! Läßt uns eiskalt auflaufen. Das war ein abgekartetes Spiel!»
Vor der Tür wartete schon der nächste Asylant mit seinem Anwalt, seiner Frau und zwei Kindern.
Der wird keinen leichten Stand haben, dachte Harald. Der Richter ist stinksauer.

10

In einem nahegelegenen italienischen Eiscafé tranken Mahmut, sein Anwalt und Harald Stobbe einen ersten Cognac nach den Schrecken. Mahmuts Hand zitterte, als er Zigaretten anbot. Doch sein Gesicht hatte das Strahlen eines Siegers.
Harald Stobbe bestellte eine Runde Kaffee auf seine Rechnung. Er konnte nichts zu dem Prozeß sagen. Die Verhandlung hatte ihn überfordert. Nach dem ersten Schluck Kaffee mußte Harald sich entschuldigen und eilte mit langen Schritten zur Toilette. Blasser als vorher kam er zurück.
Der Anwalt hatte neuen Cognac bestellt und erklärte Mahmuts Glück: «Normalerweise dauern solche Prozesse nur knapp zehn Minuten. Ich kenne Gerichte, da werden zehn bis fünfzehn Asylanträge an einem Vormittag durchgezogen – also abgelehnt. Die armen Burschen erscheinen sogar ohne Anwalt vor Gericht.»
Entgeistert sah Harald den Anwalt an. Das konnte nicht wahr sein: Ein Prozeß, bei dem es vielleicht um das Leben eines Menschen ging, und dann ohne Anwalt . . .
«Die Rechtsanwälte kassieren natürlich die volle Gebühr, aber sie haben oft vorgefertigte fotokopierte Schriftsätze, in welche die Sekretärin nur noch die jeweils verschiedenen Namen, Geburtsorte und so weiter einträgt . . .»
«Das ist wohl die Höhe! So kann man doch nicht . . .»
Der Anwalt machte eine beschwichtigende Handbe-

wegung und goß seinen zweiten Cognac hinunter.
«Ich kann die frustrierten Kollegen schon verstehen. Wenn jeder, aber auch jeder Antrag eines Türken auf Asyl abgelehnt wird, entwickelt sich das Verfahren zu einer Farce. Einer Show, die man abzieht, um der Sache einen rechtsstaatlichen Charakter zu geben. Einige Kollegen sind es leid, in dieser Show als Alibi aufzutreten. Es ist sowieso egal, ob sie da sind oder nicht. Das Ergebnis steht vorher fest. Sie verzögern mit formgerechten Anträgen das Verfahren lediglich um ein paar Minuten. Manchmal erreichen sie sogar eine Vertagung. Mehr nicht. Da kann ich schon verstehen, daß auch gute Kollegen nur noch Schriftsätze einreichen. Eigentlich ist auch das müßig. Warum soll man sich die Mühe machen, ständig neue Anträge zu formulieren, wenn man die stereotypen Antworten schon kennt.»
In Harald Stobbe, der seinen Schülern die Gewaltenteilung und die Unabhängigkeit der Gerichte seit Beginn seiner Lehrtätigkeit als Grundpfeiler unserer Demokratie darstellte, wühlten diese Sätze. Sie bohrten sich in ihn hinein, fraßen an seinen Gedärmen, machten sich unerträglich breit in ihm, bis er erneut zur Toilette rannte, um sich zu übergeben.
Mein Magen, dachte er, für meinen Magen ist das alles zu viel. Er zerkaute zwei Kompensan und erhoffte sich Besserung.
Als er zum Tisch zurückkam, verabschiedete sich der Anwalt. «Vermutlich hat Ihre Tochter Mahmut das Leben gerettet. Schöne Grüße von mir und weiterhin viel Glück.»

11

An diesem Nachmittag warteten Haralds Nachhilfeschüler vergeblich. Nachdem der Anwalt gegangen war, nahmen sie noch zwei Cognac in dem Café, dann zogen sie in das türkische Lokal um, wo sie einige Raki mit Bier statt mit Wasser runterspülten.

Langsam wich ihre Wut über Richter und Beisitzer. Stattdessen machte sich die spitzbübische Freude breit, sie alle hereingelegt zu haben.

Mehmet und Demir schlossen sich ihrem Gelage an. Demir und Mahmut kannten sich noch aus ihrer Heimatstadt Diyarbakir. Mehmet und Mahmut hatten sich erst hier kennengelernt. Stolz stellte Mahmut seinen neuen deutschen Freund Harald Stobbe vor. Das geschah in Türkisch oder Kurdisch, dann bemühten sich alle, nur noch Deutsch zu sprechen. Mehmet beteiligte sich nur mit einem lächelnden freundlichen Gesicht an dem Gespräch. Er war erst wenige Monate in der Bundesrepublik und bewegte sich fast ausschließlich unter Landsleuten.

Der Wirt, ein kleiner, spindeldürrer Mensch mit gewaltigem Vollbart, gab eine Lage türkische Pizzen aus, weil er sich mit Mahmut über die Rettung vor der Abschiebung freute und dem deutschen Kollegen seine Gastfreundschaft beweisen wollte.

Der Alkohol hatte Harald Stobbe hungrig gemacht. Gierig biß er in den zusammengeklappten Teigfladen. Innen bemerkte er etwas Rötliches. Sekunden nachdem er den

ersten Happen runtergeschluckt hatte, traten Tränen in seine Augen. Er mußte husten. Die anderen lachten. Mahmut goß Bier nach.
«Mein Gott – ist das Zeug scharf.»
«Türkische Pizza gut?» fragte der Wirt.
Harald nickte und biß erneut zu. Man klopfte ihm auf die Schultern, prostete ihm zu, und je wohler er sich fühlte, um so mehr Zigaretten nahm er an.
Er kam stockbesoffen nach Hause. Eva und Elke schliefen schon lange. Nachdem er zur Toilette gegangen war, schlich er in Elkes Zimmer. Er wollte sie umarmen. Ihr sagen, wie glücklich sie ihn gemacht hatte. Und daß sie die beste Tochter der Welt sei. Und er ein Hornochse. Doch als er ihren regelmäßigen Atem hörte und sich bewußt wurde, wie spät es schon war, wagte er nicht mehr, das Licht einzuschalten. Im Dunkeln tastete er sich zu ihrem Bett. Er streichelte sie flüchtig und küßte ihre langen Haare. Dann verließ er ihr Zimmer und setzte sich in den Fernsehsessel. Er starrte zur Decke und atmete tief durch. Dann schlief er ein.

12

Sanft stellte Eva Stobbe die Kaffeekanne auf das Stövchen. Elke bestrich ein Brötchen.
«Willst du nicht frühstücken, Ma?»
Sie schüttelte kaum merklich den Kopf und faßte sich an die Stirn.
«Nein, mein Kind, ich habe die ganze Nacht kein Auge zugetan. Dein Vater ist heute nacht nicht nach Hause gekommen.»
Sie sah mit Leidensmiene vor sich auf den Tisch.
Elke lästerte: «So, kein Auge hast du zugetan? Dann hast du doch bestimmt diesen übelriechenden Besoffenen gehört, der in unser Wohnzimmer eingedrungen ist . . .»
Eva Stobbe sprang auf. Ohne ein Wort zu verlieren, rannte sie aus der Küche ins Wohnzimmer.
«Vergiß nicht zu lüften. Es stinkt erbärmlich!» rief Elke hinter ihrer Mutter her, dann packte sie ihr Pausenbrot ein. Sie war zufrieden. Sie hatte ihren Gutenmorgengag gehabt. Sie fand die Situation köstlich. Ihr grundsolider Vater hing schnarchend im Fernsehsessel, während sich die Mutter Sorgen machte.
Leider konnte sie Vaters verkatertes Gesicht nicht mehr am Frühstückstisch sehen. Sie mußte losgehen, um pünktlich zur Schule zu kommen.
Er stank wirklich aus allen Poren nach Bier und Schnaps und kaltem Rauch. Eva knipste das Licht an, zog die Vorhänge zur Seite und riß die Fenster auf. Stöhnend

hielt Harald Stobbe sich eine Hand schützend vor die Augen.
«Nicht, bitte nicht. Mach das Licht wieder aus!» bettelte er. Seine Stimme krächzte und enthielt nicht das geringste Durchsetzungsvermögen. Ihm war weinerlich zumute.
Nein, Eva machte ihm keine Szene. Im Gegenteil, sie bemutterte ihn liebevoll, ließ ein Bad einlaufen, legte ihm frische Wäsche raus und brachte ihm zwei sprudelnde Alka-Seltzer ins Bad.
Dankbar sah er sie an und kratzte sich die juckende Kopfhaut. Vor der Wanne setzte sie sich auf einen Schemel und lächelte ihn an.
«Schön, daß du mal einen zu viel getrunken hast. Du glaubst gar nicht, wie gut mir das manchmal tut.»
Meinte sie das ironisch? Begann jetzt ihre Standpauke? Er war sich nicht sicher. Warum sollte es ihr guttun, wenn er über die Stränge schlug?
Sie stellte sich hinter ihn und tauchte ihn unter. Als er prustend wieder hochkam, spritzte sie Shampoo auf seine Haare und begann, ihm völlig selbstverständlich den Kopf zu waschen. Besonderen Wert legte sie darauf, ihm die Kopfhaut zu massieren. Er legte sich in die Wanne zurück, schloß die Augen und genoß.
«Ich weiß, wie gut das tut. Man hat ein Gefühl, als sei das Gehirn ein weiches Ei. – Gleich hol' ich dir Rollmöpse aus dem Keller und dann ein großes Glas Orangensaft. Was meinst du, wie schnell es dir besser geht!»
Sie ließ ihn eine Weile alleine. Langsam kamen seine Lebensgeister zurück, und er begann ihr Verhalten zu verstehen. Sie sah manchmal zu tief ins Glas. Jetzt behandelte sie ihn so, wie sie eigentlich von ihm behandelt werden wollte. Keine vorwurfsvollen Blicke beim Früh-

stück. Kein verständnisloses Kopfschütteln. Wie oft saß sie morgens übelgelaunt und verkatert über ihrem Kaffee? Sie trank ab und zu mehr Schnaps, als sie zugab und vertragen konnte. Er beschimpfte sie jedesmal deswegen. Er, der grundsolide Studienrat, der seinen Schülern nur zu gerne Vorträge über die Gefahren des Alkoholismus und anderer Suchtkrankheiten hielt. Er lief herum wie ihr lebendiges schlechtes Gewissen. Jetzt beschämte ihr Verhalten ihn und machte ihn zugleich glücklich.

Als er aus der Wanne stieg und in dem beschlagenen Spiegel sein Gesicht sah, legte er sich einen Satz zurecht. Etwa: «Eva, du bist eine tolle Frau.» oder «Ich liebe dich noch immer.» Die Sätze kamen ihm nicht angemessen vor. Drückten nicht aus, was er sagen wollte. Sein Gehirn war wirklich ein weiches Ei. Vielleicht sollte er einfach «Danke, Eva» sagen . . . Er erschien im Bademantel in der Küche. Darunter war er nackt.

Eva preßte eine Orange aus und gab Traubenzucker dazu.

«Ich habe schon in der Schule angerufen. Du bist entschuldigt. Grippe.»

«Mein Gott – die Schule!»

Er ließ sich matt auf einen Stuhl fallen und legte den Kopf in die Hände. Er hatte seinen Dienst vergessen. Einfach vergessen.

13

Gegen elf Uhr klingelte es. Mahmut und Demir standen lachend vor der Tür. Eva ließ sie herein.
«Geht dein Mann besser jetzt? Ist er da?»
Eva nickte und führte die beiden ins Wohnzimmer.
Demir wurde ihr vorgestellt. Dabei fiel mehrfach der Name Diyarbakir. Eva lernte, daß Diyarbakir die heimliche Hauptstadt der Kurden ist. Harald Stobbe nickte wissend. Er, der Erdkundelehrer, durfte sich in solchen Fragen keine Blöße geben.
Eva wollte Kaffee machen, doch Mahmut wehrte ab.
«Ich koche für euch echten türkischen Tee. Ich habe mitgebracht. Bleibt ihr nur sitzen hier. Mahmut macht Tee für seine Freunde in Küche.»
Daß ein fremder Mann in ihrer Küche herumwerkelte, war ein merkwürdiger, fast abenteuerlicher Gedanke für Eva. Sie setzte sich.
Warum waren die beiden gekommen? Mußte Mahmut nicht arbeiten? War das bei denen so üblich, sich nach einer durchzechten Nacht morgens zu besuchen? Erwarteten die jetzt, zum Mittagessen eingeladen zu werden? Im Kopf disponierte Eva bereits das Gericht um. Wenn sie Spaghetti auftischen würde . . . Nudeln hatte sie genug im Haus . . . die Soße konnte sie auch ohne Hackfleisch zubereiten . . .
«Mahmut hat sich freigenommen. Er ist mit mir auf Amt

gegangen. Ausländerpolizei. Gute Leute. Wirklich!» strahlte Demir.
«Sind Sie auch Asylant?» fragte Eva.
In der Küche pfiff der Wasserkessel. Gewohnheitsmäßig wollte Eva aufstehen. Harald drückte sie sanft in den Sessel zurück.
«Ja, ich auch Asylantrag gestellt. Aber noch nix Verhandlung gehabt. Kommt sicher bald. Sonst ich immer nur Aufenthaltsgenehmigung für drei Wochen. Jetzt für acht Monate. Gute Leute bei Ausländerpolizei. Freundlich. Wirklich.»
Stolz hielt Demir ein amtliches Schreiben über den Tisch. Mehr höflichkeitshalber sah Eva es sich an, da es für Demir so wichtig schien.
«Jetzt acht Monate Aufenthalt. Das gut!»
Eva überflog das Papier. Zwei Dinge machten sie stutzig. Erstens: Unter dem Zettel stand nur Demirs Unterschrift und zweitens las sie etwas von tausend Mark, die Demir binnen zwei Wochen zu bezahlen hatte. Sie las konzentrierter, biß sich in den Zeilen fest, konnte es erst nicht glauben, reichte dann mit ernster Miene das Blatt an ihren Mann weiter und sagte: «Guck dir das doch mal genau an, ich glaube, da stimmt etwas nicht.»
Haralds Gesicht versteinerte sich beim Lesen. Demir rutschte aufgeregt auf dem Sessel hin und her.
«Was stimmt nicht? Papier nicht gut?»
Mahmut kam mit dem Tee.
«Was ist los? Warum ihr guckt so komisch alle?»
Kalt sagte Harald: «Wenn ihr mir erst was von Unterdrückung, Folter und Knechtschaft erzählt, warum will Demir dann in acht Monaten zurück in die Türkei? Ist bis dahin alles besser in der Türkei – oder gefällt dir

Deutschland nicht so gut, wie du zu Anfang dachtest?»
Mahmut stellte den Tee ab und blickte verständnislos von Harald zu Demir.
Demir breitete seine Arme aus und rief: «Was du erzählen? Ich fahre nicht in Türkei zurück. Lieber ich bringe mich um!»
«Du hast hier unterschrieben, daß du deinen Antrag auf Asyl freiwillig zurückziehst. Dafür gewährt man dir noch eine Aufenthaltsgenehmigung für acht Monate. Am Ende der acht Monate mußt du die Bundesrepublik verlassen haben. Damit du auch wirklich fährst, mußt du in vierzehn Tagen eine Sicherheit von eintausend Mark bei der Ausländerpolizei einzahlen.»
«Ja-aber-warum ...»
«Wenn du die Sicherheit nicht einzahlst, wirst du im Laufe der nächsten vier Monate abgeschoben.»
Demir war außer sich. Er riß das Papier wieder an sich. Starrte es an, las aber nichts. Mahmut blickte ihm entgeistert über die Schulter.
«Dann die haben mich betrogen!» schrie Demir. «Betrogen!»
Mahmut und Demir brüllten sich auf Türkisch oder Kurdisch an. Harald Stobbe saß wie erschlagen im Sessel. Entweder die Sachen, die ihm Mahmut über die Türkei erzählt hatte, waren übertrieben und falsch – dann konnte er verstehen, daß Demir freiwillig zurückgehen wollte – oder Demir war von deutschen Beamten reingelegt worden. Beides konnte Harald Stobbe nicht fassen.
Eva goß den Tee ein und hielt Mahmut und Demir jeweils eine Tasse hin, damit sie sich beruhigten.
Als endlich wieder alle saßen und der erste Sturm sich gelegt hatte, bemühte sich Harald um Sachlichkeit: «Darf

ich noch mal den Zettel sehen?»
«Ja, bitte.»
«Hier steht, daß ein Übersetzer bei dem Gespräch dabei war. Hier steht, du seist über die Folgen deiner Unterschrift aufgeklärt worden. Stimmt das?»
Wieder sprang Demir auf.
«Nein, das stimmt nicht! Da war kein Dolmetscher.»
Harald sah Mahmut an, der schüttelte nur den Kopf.
«Keine Dolmetscher – wirklich.»
«Hast du denn nicht gelesen, was auf dem Papier stand?»
«Nein. Nicht gelesen. Deutsch lesen ist viel schwer für Demir. Außerdem immer ich muß etwas unterschreiben bei Ausländerpolizei. Der Mann – der hat ganz nett gemacht –, der hat gesagt, wenn du hier unterschreibst, dann hast du Aufenthalt für acht Monate. Da ich sofort unterschrieben. Mich gefreut und viel Danke gesagt. Keiner hat gesprochen von zurück in Türkei fahren oder Geld bezahlen. Keiner.»
Mahmut nickte bei jedem Satz.
«Das darf doch alles gar nicht wahr sein. Dann haben die Beamten deine Unterschrift erschlichen. Ergaunert.»
Demir schien es völlig gleichgültig zu sein, wie die Beamten an seine Unterschrift gekommen waren. Er wollte nur eins: nicht in die Türkei zurück.
Er bat, er flehte um Hilfe.
Einerseits war Harald empört über diese Beamten. Andererseits wollte er nicht noch tiefer in die Sache hineingezogen werden. Er überlegte, wie er sich am besten aus der Affäre ziehen konnte, da schaltete Eva sich ein.
«Das kann doch alles nur ein Irrtum sein. Ich gehe morgen gerne mit Demir aufs Amt und kläre die Sache. Vielleicht war der Beamte neu – oder er hat ein falsches

Formular erwischt – oder Demir hat ihn nur nicht richtig verstanden. Dramatisiert die Sache nicht so sehr.»
Ihre Worte wirkten zunächst beruhigend. Demir bedankte sich, und man trank den Tee. Für Haralds Magen war der Tee viel zu stark. Immer wieder mußte Harald seine Frau ansehen. Wie wenig er sie in den Jahren kennengelernt hatte! Es gelang ihr immer noch, ihn zu verblüffen. Er hätte nicht im Traum daran gedacht, daß sie auf ein Amt gehen würde, um dort für jemand anderen eine Sache zu ordnen. Sie mied jedes Amt, solange es irgendwie ging. Solche Dinge bürdete sie ihm nur zu gern auf. Dafür reparierte sie gern den defekten Kühlschrank.
Vielleicht, dachte er, vielleicht tut sie das nur, um meinen Magen zu schonen. Sie weiß, wie sehr mich so etwas aufregt. Und einer muß Demir schließlich helfen.
Eva lud Demir und Mahmut zum Essen ein, doch sie lehnten dankend ab. Nach dem Tee verabschiedeten sie sich. Sie wollten die Hilfe und die Gastfreundschaft ihrer neuen deutschen Freunde nicht zu sehr strapazieren.

14

Als Elke von der Schule nach Hause kam, hörte sie ihren Eltern nur sehr halbherzig zu. Sie war zu einer Party eingeladen, und ihre Gedanken beschäftigten sich mit Farbkombinationen, Schuhen und bunten Tüchern. Immerhin nahm sie anerkennend nickend zur Kenntnis, daß ihr Pa den Dienst geschwänzt hatte.
Eva erzählte aufgeregt von Demirs Papier. Je näher die Stunde rückte, zu der sie bei der Ausländerpolizei vorsprechen sollte, um so nervöser wurde sie. Was ihr vorher noch leicht erschien, hätte sie jetzt schon am liebsten an Harald abgetreten. Doch der mußte um diese Zeit in der Schule unterrichten. Es war mit seinem Pflichtbewußtsein unmöglich zu vereinbaren, zwei Tage hintereinander blau zu machen. «. . . und stell dir vor, er behauptet, der Beamte hätte die Unterschrift von ihm erschlichen . . . sag mal, hörst du mir überhaupt zu, Elke?»
Elke nickte entschuldigend, ihre Augen verrieten, daß sie mit den Gedanken ganz woanders war.
Eva schwieg ein wenig beleidigt. Der Gang zur Ausländerpolizei war für sie nicht nur eine gute Tat, die Anerkennung verdiente, es war auch ein kleines Abenteuer, von dem man erzählen konnte. Ein Gesprächsstoff, der einem Zuhörer sicherte. Um so schwieriger war es für sie, Elkes Desinteresse zu verstehen. Schließlich hatte doch Elke ihre Familie erst mit dem Asylantenproblem konfrontiert.

«Du, Mutti, kann ich heute nacht bei der Marianne schlafen?» Die Frage traf Eva recht unvermittelt.
«Ja – äh – warum denn?»
«Die Marianne gibt heute eine Party. Aus meiner Klasse kommen fast alle. Und es ist abends immer so schwer, von dort wegzukommen. Sie wohnt am anderen Ende der Stadt. Die letzte Bahn geht um zehn Uhr, und ich muß dreimal umsteigen ...»
«Papi kann dich doch abholen ...»
«Ach nee, der soll sich ruhig noch einen gemütlichen Abend machen. Die Party wird bestimmt spät. Dann kann er den ganzen Abend nichts trinken. Außerdem ...»
«Was außerdem ...»
«Außerdem sieht es immer so komisch aus, wenn mich mein Pa abholt. Alle haben Autos, Motorräder oder fahren mit der Bahn, nur ich werde von meinem Papi eigenhändig abgeholt.»
Natürlich hätte jemand anders Elke nach Hause bringen können. Eva hatte längst kapiert, daß es um eine Nacht auswärts ging und um sonst gar nichts.
Was solls, dachte Eva, schließlich nimmt sie die Pille und ist inzwischen sogar verheiratet. Sie zwinkerte ihrer Tochter zu und sagte: «Okay. Ich rede mit Pa. Aber paß gut auf dich auf.»
Schon stand Elke vor ihrer Mutter, küßte sie und verschwand dann für fast zwei Stunden im Bad.
Harald hatte sich in sein Arbeitszimmer zurückgezogen. Er arbeitete aber nicht. Ein Taschenbuch war ihm in die Hände gefallen. Vor Tagen hatte er es einem Schüler abgenommen, der es heimlich unter der Bank während des Erdkundeunterrichts lesen wollte. Jetzt blätterte Ha-

rald darin. Es handelte sich offenbar um eine Gangster- und Agentengeschichte. Man versuchte, den Papst zu entführen.
Wie lange hatte er schon keinen richtigen Schmöker mehr gelesen? Er setzte sich in den Ohrensessel und schlug die erste Seite auf. Aber er las sich nicht fest. Blätterte immer wieder, suchte spannende Stellen, vermißte das Gefühl, mitgerissen zu werden. Dann fand er den Satz: «Er war ein Araber. Ein gottverdammter palästinensischer Scheißaraber.»
Angewidert warf er das Buch auf seinen Schreibtisch. Eine Weile saß er still und dachte nach. So etwas lasen also seine Schüler. Da brauchte er sich nicht wundern, wenn Leute in die Parkbänke einritzten: NUR FÜR DEUTSCHE. Er stand auf, ging zum Schreibtisch und nahm das Buch noch einmal in die Hand. «Robert Ludlum – Der Gandolfo-Anschlag –» Er überflog den Werbetext: «Amerikas Erfolgsautor Nummer 1! 20 Millionen verkaufter Exemplare! Ein Mann, der alle Rekorde schlägt – auch in Deutschland ein Begriff – realistischer Thriller.»
Das Buch stieß ihn ab, machte ihn zugleich betroffen. An einer Stelle, an der ein Eselsohr eingeknickt war, schlug Harald Stobbe es wieder auf. Wahrscheinlich war der Schüler genau bis hierher gekommen und hatte eine Seite eingeknickt, um die Stelle wiederzufinden.
«Verdammt, vergessen Sie diesen elenden Spaghettibastard!» stand dort. Haralds Magen meldete sich wieder. Er zwang sich jetzt, ein paar Seiten zusammenhängend zu lesen. Er wollte mit seinen Schülern darüber reden, und zu dem Zweck mußte er den Text kennen. Einige besonders markante Sätze schrieb er sich raus. Vielleicht sollte

er auch mal mit dem Deutschlehrer reden. Das fiel doch in seinen Fachbereich.
Fast auf jeder Seite fand er haarsträubende Aussagen. Schnell hatte er drei DIN-A 4-Seiten mit Zitaten gefüllt. Und so etwas, dachte er, so etwas steht nun ganz harmlos am Kiosk neben Micky Mouse und Liebesromanen. Keiner merkt etwas, alles sieht ganz bunt und locker und demokratisch aus, doch langsam werden die Gehirne zugekleistert. Ich werde morgen nicht über Gesteinsschichten reden, sondern über andere Völker, über Ausländerhaß und ja – worüber eigentlich genau?
Er kramte seinen Lehrplan heraus, die Richtlinien, die Leitlinien, die Fachbeschlüsse – nichts von all dem half ihm weiter.
Leise öffnete Eva die Tür und lukte ins Zimmer. So machte sie es immer, wenn sie nicht wußte, ob sie stören durfte. Sie fand ihren Mann nachdenklich in der Mitte des Raumes. Er stand da wie sein eigenes Denkmal.
«Elke möchte heute nacht bei ihrer Freundin schlafen. Ich habe es ihr erlaubt!» sagte sie.
Uninteressiert murmelte er: «Hm, meinetwegen.»
Sie kochte ihm einen Kamillentee und brachte die dampfende Tasse ins Arbeitszimmer. Diesmal kniete er vor dem Buchregal und suchte etwas.
Sie stellte den Tee auf seinen Schreibtisch. Er machte ihr Sorgen. Er sah zu nachdenklich aus. Etwas machte ihn betroffen.
«Was ist, Harald? Geht es dir nicht gut?»
Er sah von unten zu ihr auf. Er machte einen wehleidigen, weinerlichen Eindruck auf sie.
«Wir haben auf einer Insel gelebt, Eva. Auf einer Insel, die es schon lange nicht mehr gibt. Wir haben nicht

gemerkt, was um uns herum passiert. Wir haben uns eine eigene heile Welt geschaffen. Dieses Haus hier, das viel zu teuer ist. Unsere klassische Musik. Die edlen Bücher. Die Schachabende. Ab und zu mal einen ausgesuchten Film per Video. Unsere Höflichkeiten. Wie krampfhaft haben wir versucht, Elke angst- und streßfrei zu erziehen. Sie sollte wohlbehütet aufwachsen. Und das ist sie auch. Aber die Welt draußen, außerhalb dieser Wände, die ist anders. Und das können wir nicht ewig leugnen. Diese Welt hat uns eingeholt, als Elke Mahmut kennenlernte. Unsere Wände haben ein Loch. Jetzt können wir all den Schmutz und Haß und Dreck sehen. Bald werden wir darin ersticken. Ersticken.»

Er schämte sich seiner Tränen. Was war mit ihm passiert? Gingen ihm jetzt die Pferde durch? Der Drang, sich ausheulen zu wollen, wurde immer stärker in ihm.

«Du bist ein sentimentaler Hund», sagte Eva und zog ihn zu sich hoch.

15

Die Party fing ziemlich schlapp an. Ein pickliger Jüngling flegelte sich auf der Couch und fühlte sich schlecht unterhalten.
«Nix los hier.»
Sauer nippte Elke an ihrem Gin-Tonic. Jetzt hatte sie sich so schick gemacht, und er kam nicht. Alles umsonst. Er hieß Bodo. Seit sie ihn zum erstenmal gesehen hatte, ging er ihr nicht mehr aus dem Kopf. Er war Mariannes älterer Bruder. Groß, breit, stark mit strahlend weißen Zähnen und einem ständigen Lächeln auf den Lippen. In seiner Haltung lag etwas Militärisches – ein Eindruck, der durch den gepflegten Schnurrbart und den kräftigen Unterkiefer noch verstärkt wurde. Er hatte eine Offizierslaufbahn bei der Marine eingeschlagen und kam nur alle acht bis zehn Monate mal nach Hause.
«Vielleicht kommt er noch», tröstete Marianne ihre Freundin. «Eigentlich hat er versprochen, hier zu bleiben, wenn ich eine Fete gebe. Er wollte gerne mal meine Klassenkameraden kennenlernen und so. Aber wann ist der schon mal zu Hause . . . und der hat hier in der Stadt natürlich noch alte Kumpels von früher. Um sechs rief einer an. Er ist dann gleich los. Bis die Fete anfängt, wollte er aber wieder zurück sein.»
«Ach ist ja auch egal», sagte Elke abwehrend. Es war ihr peinlich, daß Marianne wußte, wie sehr sie in ihren Bruder verschossen war. Sie hätte sie nicht so über ihn

ausfragen sollen. Vielleicht hatte sie ihrem Bruder längst von Elkes Schwärmerei für ihn erzählt ... Vielleicht hatte er sich darüber köstlich amüsiert ... vielleicht fand er, daß sie eine dumme Gans war ... vielleicht kam er nun deswegen nicht zur Party ...

Sie mischte sich noch einen Gin-Tonic und beobachtete Ute und Holger, die sich in ein stilles Eckchen verkrochen hatten und hingebungsvoll knutschten. Sie kümmerten sich nie um jemanden. Sie kamen zu Parties, nahmen sich etwas zu trinken und einen Aschenbecher, suchten sich ein Sofa oder einen bequemen Sessel – manchmal auch eine Matratze und begannen zu flüstern, zu fummeln und zu knutschen. Sie waren sich selbst völlig genug. Elke fragte sich, warum die beiden überhaupt noch eingeladen wurden.

Marianne legte alte Platten von ihrem Bruder auf. Die Bee Gees. Michael, den Elke für einen Langweiler hielt, ausgerechnet Michael forderte Elke zum Tanzen auf. Um ihn nicht zu beleidigen, gestand sie ihm einen Tanz zu. Sie wackelte unlustig im Takt der Musik.

Da kam Bodo durch die Tür. Er hatte noch zwei alte Kumpels mitgebracht. Begrüßung mit großem Hallo. Elke spürte ein Kribbeln in den Beinmuskeln. Ihr Körper straffte sich. Sie schnippte mit den Fingern und begann wild zu tanzen. Sie ließ den Oberkörper um die Hüfte kreisen und brachte so ihre langen blonden Haare voll zur Geltung. Wie ein Schleier umflatterten sie ihren Kopf. Michael glaubte, daß der effektvolle Tanz ihm galt. Er bekam sofort feuchte Hände. Elke ... seine Traumfrau, versuchte, ihn mit allen Mitteln der Kunst anzumachen. Um so enttäuschter war er, als Elke nach einem weiteren noch wilderen Tanz direkt auf Bodo zuging. Er stand lässig an die Wand gelehnt da und beobachtete fasziniert Elkes gymnastische Übungen. Sie hatten die gewünschte Wirkung auf ihn.

Als Elke ihn jetzt ansah und sagte: «Ich habe gehört, du mischst so hervorragende Cocktails ...» nickte er zufrieden, legte seinen rechten Arm um ihre Schultern und führte sie in die Küche. Dort stand nicht nur der Kühlschrank, dort waren sie auch ungestört.

Michael konnte seine Tränen nicht zurückhalten. Er schloß sich rasch auf der Toilette ein. Niemand sollte ihm diese Niederlage anmerken. Er wusch sein Gesicht mit kaltem Wasser ab.

«Weiber», zischte er, «Weiber!»

16

Eva Stobbes Herz schlug schneller als sonst, als sie Demir vor der Ausländerpolizei traf. Auch er sah recht nervös und unausgeschlafen aus. Sie gaben sich die Hände zu einer stummen Begrüßung. Demir reichte ihr das fragwürdige Papier. Sie versuchte, ihn aufmunternd anzulächeln. Es würde schon alles in Ordnung kommen.
Nebeneinander traten sie in den Flur. In einer Nische standen zwei Stühle. Auf einem Stuhl saß eine hochschwangere Frau mit Kopftuch. Gut ein Dutzend südländisch wirkender Männer stand herum. Rauchend, redend, gestikulierend. Demir wurde von einem zierlichen Mann begrüßt. Sie wechselten ein paar Worte in ihrer Sprache, dann wurde Demir sehr ernst und sagte zu Eva: «Das mein Freund. Ali. Er hat Brief bekommen von Ausländerpolizei. Er soll kommen wegen Aufenthaltsverlängerung. Die machen gleiche Schweinerei mit ihm. Wette?»
«Sind sie Asylant?» fragte Eva.
Er nickte und Demir fügte hinzu: «Er wartet noch auf Verhandlung.»
Die Tür zum Büro der Ausländerpolizei öffnete sich. Ein strahlender junger Türke kam aus dem Raum. Ali verabschiedete sich und lief in das Zimmer.
«Jetzt ich dran.»
Eva blickte dem offensichtlich glücklichen jungen Türken nach. Ein Verdacht biß sich in ihr fest. Sie wollte ihn aufhalten, zögerte aber zu lange, und schließlich war er

schon tänzelnd verschwunden.
Knapp zwei Minuten später kam Ali ebenfalls lächelnd zurück. «Da jetzt neue Leute arbeiten. Ganz gut. Ich jetzt Aufenthalt für acht Monate. Nicht mehr alle vierzehn Tage hier hin muß.»
In Sekunden trocknete Evas Mund aus. Die Zunge klebte fast am Gaumen.
«Frag deinen Freund doch mal, ob er mir zeigt, was er da unterschrieben hat.»
Freundlich – noch immer strahlend – zog er den für ihn so wichtigen Zettel aus dem Jacket.
Ein Blick genügte. Sie hatten ihn genauso reingelegt. Demir erklärte seinem Freund die Sache auf Türkisch. Der verstand erst gar nichts, bekam dann schmale Lippen und rote Wangen, sah Eva zweifelnd an, doch als Eva nickte, stieß er einen türkischen Fluch aus und stampfte in das Büro zurück. Demir und Eva hinterher.
«Bitte einzeln eintreten. Warten Sie draußen!» rief ein Mann mit korrektem Haar. Eva schätzte ihn auf knapp 30.
«Wir nix warten!» sagte Ali stur.
Der Mann hinter der Schreibmaschine machte eine unwirsche Handbewegung.
«Los, raus.»
Ali zischte etwas auf Türkisch und wollte auf den Beamten losgehen. Demir hielt ihn fest. Jetzt erst bemerkte der Beamte Eva. Er registrierte sofort, daß es sich um eine deutsche Frau handelte und erwartete Schwierigkeiten. Freundlich blickte er sie an: «Kann ich etwas für Sie tun?»
Eva schluckte. Jetzt oder nie!
«Ja», sagte sie mit brüchiger Stimme. «Ja, das können

Sie. Diese beiden Männer haben bei Ihnen ein Papier unterschrieben. Sie waren sich nicht im klaren darüber, was man ihnen zur Unterschrift vorgelegt hatte.»
Ihre Stimme wurde fester, ihr Blick stechender. «Wir verlangen, daß die Unterschriften für ungültig erklärt werden oder ...»
«Oder was?» unterbrach der Beamte sie scharf.
«Oder ich erstatte gegen Sie persönlich eine Dienstaufsichtsbeschwerde. Sie erschleichen sich hier Unterschriften!»
Er breitete gutmütig lächelnd die Arme aus, stand auf und trat vor Eva.
«Tun Sie, was Sie wollen. Mein Chef sitzt zwei Türen weiter. Sie können ihn sofort sprechen, wenn Sie wollen. Aber vielleicht lassen Sie sich die Sache von mir erstmal erklären. Wir geben hier den Asylanten die Chance, ihren Asylantrag zurückzuziehen. Damit sparen sie sich viel Anwalts- und Gerichtskosten. Wie Sie vermutlich wissen, ist bei uns am Landgericht noch nie ein türkischer Asylant durchgekommen. Es ist also reine Geldverschwendung. Wir tun den Leuten damit einen Gefallen. Außerdem gewähren wir ihnen großzügig acht Monate Aufenthalt, wenn sie danach freiwillig zurückgehen. In anderen Gemeinden sind das nur drei oder vier Monate. Aber wir sind da nicht so.»
Er redete mit ruhiger Gelassenheit. Diese Sprüche ließ er des öfteren ab, das war Eva sofort klar. Sie durfte sich nicht einlullen lassen.
«Sie wußten nicht, was sie da unterschrieben, es wurde ihnen nicht erklärt!»
«Aber gute Frau, lesen Sie sich das doch mal genau durch, da steht, daß ein Dolmetscher dabei war und alles

genau erklärt wurde.»
«Lüge! Du lügst! Nix Dolmetscher! Nix erklären genau! Wo ist Dolmetscher? Du uns zeigen!» brüllte Ali.
Das Gesicht des Beamten wurde härter: «Schrei hier nicht so rum!» Dann zu Eva gewandt: «Bitte, Sie können sich ja beschweren. Zweite Tür rechts.»
«Wie heißen Sie?» wollte Eva wissen.
«Ist das wichtig für Sie?»
«Ja. Wie heißen Sie?»
«Kaltenbach. Und jetzt darf ich Sie wohl bitten ...»
«Herr Kaltenbach, ich verlange die von den beiden Herren hier unterschriebenen Formulare zurück. Sie sind unter Vorspiegelung falscher Tatsachen entstanden.»
Sie wunderte sich über sich selbst, daß ihr plötzlich solche juristischen Floskeln einfielen.
«In welcher Funktion sprechen Sie bitte?» fragte Kaltenbach sachlich. «Sind Sie Anwalt oder haben Sie eine schriftliche Vollmacht oder was? Ich darf nicht jedem x-beliebigen Auskunft geben. Das verstößt gegen das Datenschutzgesetz.»
Innerlich vibrierte alles in Eva. Ihre Knie zitterten leicht, aber ihre Stimme war fest und hart: «Lassen Sie den Unsinn! Sie haben die beiden hintergangen. Sie sind politisch verfolgte Kurden. Sie haben ein Recht auf unseren Schutz!»
Kaltenbach lachte. Dann beugte er sich gutmütig zu Eva vor und sagte: «Lassen Sie sich doch von denen nichts erzählen. Sie glauben doch nicht etwa diese sentimentalen Geschichten? Ob ein Kurde oder ein anderer Türke hier um Asyl bittet, das ist doch genauso, als ob ein Bayer in Westfalen um Asyl bitten würde. Machen Sie sich doch nicht lächerlich. Alle Gerichte haben eindeutig ent-

schieden. Die Türkei ist unser Bündnispartner in der NATO. Da können wir nicht hier irgendwelche Typen als politisch Verfolgte ansehen. Damit würden wir die Regierung eines Bündnispartners verletzen. Das wäre ein Faß ohne Boden. Stellen Sie sich das doch mal vor. Dann könnten unsere ausgeflippten Punker auch nach England gehen und dort Asyl verlangen. Und irgendwelche schwulen Italiener nach Holland.» Wieder lachte er. «So, und jetzt belästigen Sie mich nicht länger. Wie gesagt, der Beschwerdeweg steht Ihnen jederzeit offen. Und was die beiden angeht, deren Akten sind längst beim Landgericht. Da müssen sie noch abgesegnet werden. Wie Sie sehen, hier läuft alles korrekt.»
Eva war schon fast so weit, zu gehen, da brüllte Demir: «Ich gehe nicht in Türkei. Lieber ich sterbe. Weißt du, was Folter ist? Nein, du nix weißt! Die sagen, du schlafen mit deine Schwester, sonst wir schlafen mit deine Schwester. Die dürfen alles.»
«Erzählen Sie das dem Asylrichter, aber nicht mir! Ich höre mir den ganzen Tag rührselige Geschichten an. Mir reichts!»

17

Eva erinnerte sich nicht mehr daran, wie sie nach Hause gekommen war. Sie saß im Sessel in ihrem Wohnzimmer und trank einen Schnaps. Ali stand hilflos und bleich im Zimmer herum. Er wagte nicht, etwas anzufassen oder mit dem Hinterteil zu berühren. Die Wohnung, die Möbel, das alles kam ihm zu teuer und wertvoll vor. Er glaubte, sich bei sehr reichen und vornehmen Leuten zu befinden. Er fragte sich, wie Demir zu solchen Freunden kam.

Eva registrierte, daß Demir sie etwas fragte. Sie verstand ihn nicht, nickte aber. Dann ging Demir zum Telefon und wählte eine Nummer. Er bekam eine Verbindung und redete erregt und laut auf Türkisch oder Kurdisch.

Endlich wirkte der Schnaps. Eva Stobbes Verkrampfung löste sich. Ihr Kopf war wieder frei. Das ganze Ausmaß der Ungeheuerlichkeit wurde ihr langsam bewußt. Was da in der Amtsstube zur Routine geworden war, konnte sie nur als menschenverachtend bezeichnen. Hoffentlich kam Harald bald aus der Schule zurück . . . sie sehnte ihn herbei, doch plötzlich zuckte sie innerlich zusammen. Sie hatte noch nichts gekocht. Eigentlich wollte sie heute die Gardinen waschen. Die Hemden mußten gebügelt werden, und sie saß mit einem Schnapsglas im Sessel und starrte vor sich hin. Einfach rausschmeißen konnte sie die beiden nicht. Aber zum Essen einladen? Was um alles in der Welt sollte sie kochen? Eigentlich wollte sie nach dem

Besuch auf dem Amt frisches Gemüse einkaufen. Sie hatte es vergessen. Außerdem hatte es länger gedauert.
Auch egal, dachte sie, dann gibt es eben kein Gemüse. Konserven habe ich noch genug im Haus, und auch eingefrorenes Fleisch.
«Eßt ihr Schweinefleisch?» hörte sie sich sagen.
Beide nickten und legten Wert auf die Feststellung, keine Religiösen zu sein. Demir telefonierte noch immer. Die Asche an seiner Filterzigarette bog sich schon. Einen Moment zögerte Eva. Sie wollte Demir darauf aufmerksam machen und ihm einen Aschenbecher zum Telefon bringen. Doch Demir machte so einen erregten Eindruck auf sie, daß es ihr unangemessen erschien, ihn bei all seinen Problemen noch auf die Asche seiner Zigarette aufmerksam zu machen. Schon schwebte ein silbergraues Stück zu Boden. Es brach noch in der Luft auseinander. Zwei Häufchen Asche lagen jetzt auf dem neuen, stets gepflegten Teppichboden. Eva verspürte den irren Drang, einen Staubsauger zu holen, aber etwas hinderte sie. Demir trat nervös von einem Fuß auf den anderen. Gleich würde er die Asche in den Teppich festtreten. Sein linker Fuß kam bedenklich nahe. Schon war es passiert.
Eva drehte sich auf der Stelle um und lief in die Küche, um das Essen vorzubereiten.
Vor dem offenen Kühlschrank nahm sie noch einen klaren Schnaps und dachte angewidert an Kaltenbach. So jung und schon so abgebrüht. Statt menschliche Regung zu zeigen, funktionierte er nur. Wie konnte jemand so ein Mensch werden? Was dachte der, wenn er abends im Bett lag? Hatte der Freunde? Fürchtete der sich manchmal? Konnte der weinen? Hatte der eine Frau? Konnte der wirklich lieben – geliebt werden?

Einerseits wollte sie diesen Mann nie wiedersehen, andererseits aber alles über ihn wissen.
Als Harald Stobbe von der Schule nach Hause kam, stellte er noch im Flur fest, daß es ungewöhnlich intensiv nach Zigaretten roch. Das Wohnzimmer war verqualmt. Auf dem Glastisch stand eine Kanne Tee auf einem Stövchen. Daneben drei Tassen. Eine davon halbvoll. Auf einer Untertasse lag Asche. Zuckerkristalle waren über den Tisch verstreut. Der Aschenbecher quoll über. Das klebrige Schnapsgläschen auf dem Schachtisch hätte ihn fast wütend gemacht. Auf der Couch saß jemand, den Harald nicht kannte. Ein junger Türke oder Kurde oder vielleicht Grieche. Er stand auf, ging auf Harald Stobbe zu und stellte sich vor: «Ich Ali.»
Geistesabwesend schüttelte Harald ihm die Hand und hielt nach seiner Frau Ausschau. Was ging hier vor sich? Als er in die Küche kam, rührte Eva gerade in einem Topf. Demir stand daneben und sagte etwas wie: «verhindern müssen.»
Eva drehte sich um, sah Harald und warf sich ihm in die Arme. Sie merkte nicht, daß er sauer war und verwirrt, wegen der Unordnung, des Qualms und der beiden Männer. Sie war einfach nur froh, ihn jetzt da zu haben.
Er spürte das. Gleich stimmte ihn ihre Umarmung milder. Etwas Schlimmes war inzwischen geschehen. Etwas, mit dem Eva nicht so einfach fertig wurde. Er mußte an die Gerichtsverhandlung denken. Vielleicht war es auf dem Amt nicht anders gewesen. Bestimmt sogar.
«War es schlimm?»
«Grauenhaft. Grauenhaft. Sie machen das alles absichtlich, sie sind sich ihrer Handlung voll bewußt. Und das wahnsinnigste ist – sie sind auch noch stolz darauf.»

«Das läuft also im großen Stil?»
«Hm. Die schnellste Art, die unerwünschten Asylanten loszuwerden. Und später kann keiner kommen und unmenschliche Gerichtsurteile ausgraben. Schließlich haben sie ja auf eine Verhandlung verzichtet. Oh, Harald, ich kam mir so hilflos vor, so klein, so überfordert, so angeekelt.»
Harald drückte sie fester an sich. Er küßte ihre Haare.
Demir sagte: «Deine Frau gut gekämpft heute für uns. Wirklich. Gute Frau. Gibt nicht viele solche – ich glaube.»
Eva biß sich auf die Lippen, um nicht zu heulen. Bis jetzt mußte sie stark sein, jetzt, da Harald da war, konnte sie sich hängenlassen. Seine Anwesenheit hüllte sie ein wie Seide. Sanft und ermattend. Das Gefühl der Hilflosigkeit wich einer stumpfen Traurigkeit. Es war eine egoistische Traurigkeit und hatte nur am Rande mit dem Schicksal der Türken und Kurden zu tun. Es war mehr der allgemeine Weltschmerz darüber, wie schlecht Menschen sein können. Das machte sie anlehnungsbedürftig.
«Setzt euch nur ins Wohnzimmer. Mit den Nudeln werde ich schon fertig. Demir hilft mir, den Tisch zu decken, und dann erzählt ihr mal der Reihe nach.»
Seine Worte taten ihr gut. Sie löste sich von ihm und ging ins Wohnzimmer zurück. Dann stand sie völlig regungslos mit leeren Händen mitten im Zimmer. Während ihre Gedanken sich langsam ordneten, spürte sie Ruhe und Friede in sich aufsteigen. Alles würde wieder in Ordnung kommen. Die Welt war nicht grundsätzlich schlecht. Sie war nicht von miesen Schweinen umgeben. Ein paar Fieslinge mißbrauchten ihre Macht. Das würde geregelt werden. Wozu gab es Gesetze? Schließlich lebte sie in

einer Demokratie. All die Aufregung war nicht notwendig. Dieser Kaltenbach würde schon bald im Arbeitsamt Schlange stehen und über seine Verfehlungen nachdenken. Der Bürgermeister würde sich persönlich bei den betroffenen Ausländern für die Verfehlungen einer untergeordneten Behörde entschuldigen, und man würde den Asylanten großzügiges Gastrecht einräumen.

«Ist Ihnen nicht gut?» fragte Ali.

Eva schüttelte den Kopf. «Nein, schon gut. Ich dachte nur gerade an etwas. Jetzt geht es mir schon wesentlich besser.»

Sie räumte den Tisch ab und brachte das schmutzige Geschirr in die Küche. Ja, es würde alles in Ordnung kommen. All dieser Schmutz und Dreck würde schnell weggewischt werden. Schließlich hieß es: «Einigkeit und Recht und Freiheit» und nicht «Zerstrittenheit und Willkür und Zwang.»

Elke rief an. Sie wollte noch bei Marianne zum Mittagessen bleiben und ihr anschließend beim Aufräumen helfen. Eva war einverstanden. Schön, eine Tochter zu haben, die ihre Eltern noch fragt, ob sie woanders zum Mittagessen bleiben darf, obwohl sie schon achtzehn ist und auch irgendwie verheiratet, dachte sie.

Gerade als Harald die dampfenden Nudeln auf den Tisch stellte, klingelte es, und Mahmut erschien. Er wußte schon Bescheid, weil Demir ihn in der Firma angerufen hatte. Nach einer raschen Begrüßung saß Mahmut am Tisch. Eva holte noch einen zusätzlichen Teller. Gut, daß Elke bei Marianne bleibt, dachte sie, sonst würde es etwas eng am Tisch.

Mahmut ließ sich nicht mehr bremsen. Er hatte sich nach dem Telefonat mit Demir kurzentschlossen mit dem

Hammer auf den Daumen gehauen, um frei zu bekommen. Er formulierte jetzt, was alle schon lange dachten: «Mit diese gemeine Trick sie wollen diese Stadt sauber machen von Asylanten. Mit Gericht dauert viel zu lange. So sie haben in spätestens acht Monate alle Asylanten raus. Dann bekommt Kaltenbach Orden. Bestimmt.»
«So einfach geht das alles nicht!» sagte Harald. «Mein Vertrauen in den Rechtsstaat ist zwar in den letzten Tagen auch erheblich erschüttert worden, aber man muß unterscheiden zwischen einigen Ausrutschern und dem Prinzip. Nach dem Essen werden wir erstmal mit Mahmuts Anwalt telefonieren und ihm den Sachverhalt mitteilen. Das ist – glaube ich – ein guter Mann. Dann setze ich eine Dienstaufsichtsbeschwerde an den Oberstadtdirektor auf. Der wird dem Kaltenbach schon Feuer unter dem Hintern machen. Darauf könnt Ihr euch verlassen.»
«Wir müssen alle Aylanten der Stadt informieren, daß sie nicht weiter unterschreiben. Und wir brauchen die Namen der Leute, die schon unterschrieben haben.»
«Aber», fragte Ali, «wie kann man alle Namen finden? Keiner weiß.»
«Besser wir machen eine Demonstration. Dann viele Leute erfahren, was wir wollen sagen.»
Harald bekam Fischaugen.
«Eine Demonstration?»
Mahmut nickte eifrig. Eva beobachtete die anderen und sich selber mit gesteigerter Aufmerksamkeit. Ihre Wangen röteten sich. Obwohl sie innerlich aufgewühlt war, erstaunte sie ihre gelassene Reaktion. Plötzlich war es für sie naheliegender, eine Demonstration zu organisieren, als Staub zu saugen, die Gardinen zu waschen oder die Hemden zu bügeln. Aber wie organisierte man so etwas?

Bisher kannte sie Demonstrationen nur aus dem Fernsehen. Sie selbst hatte noch nie an einer teilgenommen. Der Gedanke wäre ihr abwegig erschienen.
Harald fühlte sich unwohl. Eine Demonstration hatte den Charakter von etwas Unseriösem. Er war kein romantischer Volksaufwiegler. Erst recht kein Revolutionär. Bis vor kurzem war er noch ganz zufrieden gewesen mit sich, seinem Leben, seiner Familie, seinem Beruf und dem Staat. Er befürchtete, im Strudel der Ereignisse den klaren Blick für die Realität zu verlieren. In was war er da hineingeschlittert? Er, ein Beamter auf Lebenszeit. Mit diesem Haus, das eigentlich noch der Bank gehörte mit all den Möbeln. Ach ja, das Haus erinnerte ihn an seine Nachhilfe-Schüler. Er sah auf die Uhr. Er hatte noch knapp 40 Minuten, dann würde der erste eintrudeln.

18

Im Treppenhaus trällerte sie: «Do you really wanna hurt me.»
Sie hatte ihn bekommen, diesen Mordskerl namens Bodo. Der war nicht so ein schmalbrüstiges Discojüngelchen, sondern ein gestandener Mann.
Auf der Straße stieß sie fast mit Michael zusammen. Sie war sich sofort sicher, daß er auf sie gewartet hatte. Wie lange schon? Die ganze Nacht? Den Vormittag? Als sie mit Marianne zur Schule gegangen war, hatte sie ihn nicht bemerkt.
Bestimmt ist er uns nach der Schule gefolgt, dachte sie. Seine Anwesenheit paßte ihr gar nicht. Sie war bester Laune, in Hochstimmung. Er würde versuchen, sie runterzuziehen. Einer wie er zog immer andere Leute runter, weil er selber unten war. Melancholisch, vernachlässigt, skeptisch. Er ging jetzt im Gleichschritt neben ihr her. Sie versuchte, ihn nicht zu beachten.
«Elke, kann ich dich mal sprechen?»
«Du, tut mir echt leid, aber ich muß nach Hause. Vielleicht ein ander . . .»
«Es dauert nicht lange. Ich muß etwas loswerden. Ich hatte dich immer für ein ungeheuer cleveres Mädchen gehalten. Aber seit ich gesehen habe, wie du dich an diesen Muskelprotz herangeschmissen hast – nee –, ich war echt fertig darüber. Du hast dich benommen wie die

letzte dumme Pute, die versucht einen Typen anzumachen.»
Sie blieb stehen und funkelte ihn an. Was nahm der sich raus?
Sie hatte Lust, ihm eine Ohrfeige zu verpassen.
«Hör mal, Kleiner, was bildest du dir ein? Er hat mir gefallen, da habe ich ihn angemacht, na und? Denkst du, nur Männer haben das Recht dazu? Er gefiel mir, und da habe ich ganz spontan . . .»
«Was du spontan nennst, würde ich egoistisch nennen. Du siehst nur dich und deine Gefühle! Überhaupt, worüber willst du dich mit dem denn unterhalten? Über Schiffe? Der ist doch doof, das weiß jeder. Frag nur Marianne, was sie von ihrem beschmierten Bruder hält! Bei dem geht's immer gleich unter den Rock, weil er kein Thema weiß, über das er sich unterhalten könnte, weil er ein blöder, militanter Bock ist!»
Wasser füllte seine Augen. Jetzt tat er Elke leid. Aus ihm sprach die blanke Eifersucht. Er mußte ganz schön verliebt in sie sein. Und obwohl sie ihn für einen Langweiler und eine Nervensäge hielt, fühlte sie sich geschmeichelt. Im Grunde war Michael ein ganz netter Kerl. Sensibel, zart. Er konnte nicht viel vertragen. Sie schlug ihm vor, gemeinsam einen Kaffee zu trinken.
Verblüfft sah Michael sie an. Sie bemerkte, daß sich in seinem Blick Mißtrauen und Freude paarten.
Vielleicht war er genau der Typ, dem sie sich anvertrauen konnte. Die Sache mit Mahmut Perver, mit ihrer Ehe, die mußte sie irgendwem mitteilen. Sie brannte darauf. Aber wem? Bodo gegenüber hatte sie nichts gesagt. Sie zweifelte daran, daß er es verstanden hätte. Vaters Ermahnungen, die Geschichte vor aller Welt geheimzuhalten, fand

sie Michael gegenüber übertrieben. Bei ihm wäre ihr Geheimnis bestens aufgehoben. Er würde sich geehrt fühlen. Für ihn wäre es eine große Sache, wenn sie ihn zu ihrem Vertrauten machen würde.
Später saßen sie sich bei einem Kaffee gegenüber und Elke erzählte. Michael hörte mit heißen Ohren zu. Sie sah, daß er mit sich kämpfte und nicht wußte, wie er sich verhalten sollte. Er schwankte zwischen selbstverständlicher internationaler Solidarität und Menschlichkeit und dem gleichzeitigen Wunsch, Elke da rauszuhalten, sie vor Schaden zu bewahren. Er wollte nichts Falsches sagen. Sie sollte das Gefühl bekommen, mit niemandem besser über ihre Probleme reden zu können als mit ihm.
Sie sah ihn eindringlich fragend an.
Er war am Rande der Verzweiflung. Er erwiderte ihren Blick. Er sah beunruhigt aus. Er hatte verstanden, daß dies mehr war als ein Spiel. Aus dieser Geschichte kam niemand mit Allgemeinplätzen weg. Es galt, Farbe zu bekennen, sich für eine Seite zu entscheiden.
«Du mußt versuchen», sagte er schließlich, «du mußt versuchen, ganz du selber zu sein.»
Eine Weile spielte sie in ihren Haaren, drehte sich kleine Löckchen. Sie war unzufrieden mit seiner Aussage. Das war ihr nicht konkret genug.
«Manchmal», sagte sie, «denke ich das auch. Aber was bin ich schon? Ein Teig. Ein modellierbarer Teig. Wie soll man versuchen, man selber zu sein, wenn man nur eine wabbelige Masse ist?»
«Aber du mußt dir die Freiheit nehmen, die eine Teigform abzulehnen und die andere Teigform für dich auszusuchen.»
«Bißchen wenig. Meinst du nicht? Und wenn man mit

achtzehn zum Gymnasium geht, mit einem Ausländer verheiratet ist, aber bei den Eltern wohnt und einen ganz anderen liebt, dann ist es wohl nicht ganz leicht, eine passende Teigform zu finden.»

Wie kompliziert die Welt doch war: Er liebte sie, sie war verheiratet und liebte einen anderen, und er spielte ihren Beichtvater und Seelsorger, und zu allem Überfluß verpflichtete sie ihn, zu niemandem darüber zu sprechen. Er ging leichtfüßig und trotzdem betäubt nach Hause. Er fühlte sich einige Jahre älter, als er in Wirklichkeit war. Er sah sich mit den Eltern nicht wie geplant den Krimi im ZDF an. Er sagte, ihm sei nicht gut, dann ging er in sein Zimmer, ließ die Rolladen herunter, löschte das Licht und legte sich aufs Bett. Er starrte ins Dunkle. Ein Universum tat sich ihm auf.

19

Die Nachhilfestunden hatte er nur mühsam über die Zeit gebracht. Jetzt mußte Harald Stobbe sich der Hektik im Wohnzimmer entziehen. Sein Magen vertrug das nicht. Mit einem Glas warmer Milch saß er in seinem Arbeitszimmer und tippte einen Beschwerdebrief an den Oberstadtdirektor. Er bemängelte, daß es in so einer wichtigen Frage keine zweisprachigen Formulare und keinen Dolmetscher gab. Er benutzte Worte wie: «Nicht mehr rechtsstaatlich», «kriminelle Vorgehensweise», «unwürdiges Verhalten» und «skandalöse Abschiebungsversuche».

Er verlangte, Kaltenbach zur Rechenschaft zu ziehen und die Sache in Ordnung zu bringen.

Es war ein scharfer, unmißverständlicher Brief. Harald glaubte an die Wirkung eines solchen Briefes. Dadurch würde alles wieder ins Lot kommen. Man mußte nur die zuständigen Leute auf solche Geschichten aufmerksam machen.

Er ging ins Wohnzimmer zurück. Inzwischen hielten sich dort noch zwei Kurden oder Türken mehr auf. Zerknüllte Zettel lagen auf dem Wohnzimmertisch und auf dem Sofa verstreut. Hier wurde an einem Flugblatt gearbeitet. Eva formulierte die Sätze ihrer Gäste in reines Deutsch. Doch ganz so dudenfest war sie nicht. Vorsichtshalber sollte Harald den Text überprüfen. Harald las seinen Brief an den Oberstadtdirektor vor und erntete viel Beifall. Ali

machte den Vorschlag, den Oberstadtdirektor darauf hinzuweisen, daß Kaltenbach ein Faschistenknecht sei. Harald lehnte dies ab. So einfach könnte man sich das nicht machen, meinte er. Er wollte jetzt den Brief sofort zur Post bringen, doch er wurde in einen Sessel gedrückt.
«Demir Post gehen. Du mithelfen, Flugblatt machen. Du besser Deutsch als wir. Du Lehrer.»
Harald wäre viel lieber zur Post gegangen. Ein Spaziergang durch die frische Luft täte ihm besser, als hier in der verrauchten Bude zu hocken und ein Flugblatt zu entwerfen.
Überhaupt sperrte sich alles in ihm dagegen. So einen Brief an eine Behörde schreiben, ja das konnte er, aber ein Flugblatt abfassen ... hinterher verlangten die noch von ihm, daß er sich damit auf die Straße stellte und ...
Er las den ersten Entwurf.
Die harte Sprache erschreckte ihn. «Von der systematischen Unterdrückung der kurdischen Sprache und Kultur» war die Rede, von «brutalem Terror und Folter gegen alle fortschrittlichen Menschen». Das Wort «Massaker» kam dreimal vor. Von der Beschreibung der Zustände in Türkisch-Kurdistan ging der Text nun zur Situation in der Bundesrepublik über, insbesondere in dieser Stadt. «Die menschenverachtenden Methoden der Ausländerpolizei» wurden angeprangert. Dann kamen die allgemeinen Forderungen des Flugblattes: «Gewährung des Asylrechts für alle politisch verfolgten Kurden und Türken in der BRD. Einstellung der Türkeihilfe durch die Bundesregierung. Insbesondere der Militärhilfe. Anhörung betroffener Türken und Kurden vor dem Bundestag. Entsendung einer unabhängigen Untersuchungskommission, die die Menschenrechtsverletzungen

in der Türkei und in Türkisch-Kurdistan unter die Lupe nimmt.»

Harald rutschte auf seinem Sessel herum. Das ging ihm alles zu weit. Die Methoden der Ausländerpolizei waren das Problem. Sie konnten den Bundestag zu nichts auffordern. Das klang alles so radikal. Roch nach Aufruhr. Außerdem mußte so ein Blatt unterschrieben werden. Das wußte Harald genau. Erst vor kurzem hatte es Probleme mit dem Flugblatt einer linken Schülergruppe gegeben. Sie hatten keinen Verantwortlichen unter ihr Blatt gesetzt. Das verstieß gegen geltende Gesetze. Es mußte jemand mit voller Adresse verantwortlich zeichnen, sonst durfte man nichts verteilen. Gar nichts.

Er brachte den Einwand.

Eva schlug vor, er solle doch als Verantwortlicher ...

«Ich? Ja – aber warum denn gerade ich?»

Mahmut fand die Idee großartig.

«Natürlich, wir haben auch Organisation, die das machen kann. Arbeiterverein und Kulturverein, aber es ist viel besser, wenn du das machst, Harald.»

«Warum?»

«Weil du bist ein Deutscher. Du bist eine angesehene Mann. Du hast Wohnung schön groß. Du hast Auto. Du bist Lehrer. Das ist ganz anderes als eine unbekannte Kurde oder ein Verein, der tagt in einem bessere Keller.»

Eva nickte begeistert.

«Warum nicht?»

«Ich weiß nicht.»

Harald fühlte sich gar nicht mehr wohl. Er wäre am liebsten aus der Sache ausgestiegen. Er wollte es sich nicht selbst eingestehen: er bekam Angst vor der eigenen Courage. Diese Leute und diese schlimme Geschichte, das

alles zwang ihn, rauszugehen aus seiner harmonischen, gesicherten Existenz, sich hinzustellen vor die Welt und zu schreien: «Hier stehe ich, ich kann nicht anders. Für Freiheit und für Recht!» Aber das war die passende Pose für Freiheitskämpfer. Für Oppositionspolitiker. Für radikale Studenten. Vielleicht noch für Gewerkschaftsfunktionäre. Aber doch nicht für ihn, den Studienrat Harald Stobbe. Andererseits wäre er gern ein Freiheitskämpfer gewesen. Für die gerechte Sache zu streiten und schließlich zu siegen, stellte er sich als sehr befriedigend vor. Seine Tochter Elke wäre hingerissen von ihrem Vati, dem Aufwiegler, dem Kämpfer gegen die Stadtverwaltung, das Landgericht und die Bundesregierung. Eva ging im Moment ganz in der Sache auf. Aber es war schwer für ihn, die Grenzen zu ziehen zwischen ehrlicher Betroffenheit und einer umsichgreifenden Abenteuerlust.
«Wir sollten», schlug er vor, «mit der Flugblattaktion warten. Es kommt auf einen Tag mehr oder weniger nicht an. Ich finde es klüger abzuwarten. Wir könnten mit so einer aggressiven Sache den Oberstadtdirektor in eine Ecke drängen, in die er nicht hineingehört. Ich bin sicher, wenn er meinen Brief erhält, dann regelt sich die Sache von selbst. Wir sollten der Behörde eine faire Chance geben, auf unsere Anschuldigungen zu reagieren.»
Die erregten Männer hörten ihm staunend zu und zündeten sich danach neue Zigaretten an. Er hatte sie nachdenklich gestimmt oder geblockt oder auf den Boden der Realität zurückgeholt, das spiegelte sich deutlich in ihren Gesichtern. Der Feuerglanz einer nahen Revolution war aus ihren Augen gewichen. Sie sahen ernüchtert aus. Abgearbeitet. Geschafft.
Sie diskutierten in ihrer Landessprache. Mahmut redete

mit Abstand am meisten und wohl auch am schnellsten. Eva sah ihren Mann an. Sein Gesicht war aschfahl. Die schmalen Lippen kniff er ungewöhnlich fest zusammen.
«Soll ich dir einen Kamillentee machen?» fragte Eva.
Er nickte dankbar. Von allen unbemerkt war Elke gekommen. Sie stand plötzlich mitten im Raum und staunte: «Was ist denn hier los? Ihr seht aus, als ob ihr eine Verschwörung vorbereiten würdet.»
Eine Verschwörung, dachte Harald Stobbe, eine Verschwörung. Oh Gott, mein Magen.
Mahmut und Elke begrüßten sich freundlich, doch nicht überschwänglich begeistert. Mahmut erzählte ihr von der geplanten Aktion, von den Vorfällen und von dem Einsatz ihres Vaters und ihrer Mutter. Dann erst stellte er seine Freunde vor.
Elke zeigte sich beeindruckt von dem Engagement ihrer Eltern.
«Finde ich toll, daß ihr den Clowns von der Ausländerpolizei Feuer macht. Die erwarten höchstens Ärger von ein paar langhaarigen Freaks. Aber wenn so seriöse Leute kommen wie du zum Beispiel, Pa, dann geht denen der Arsch bestimmt auf Grundeis.»
«Aber Elke!» rief Eva empört.
Naja, sie hatte ihre Eltern gelobt, ihnen ein Kompliment gemacht, aber trotzdem – so redete man nicht.
Es wurde noch ein langer Abend. Sie erzählten Geschichten aus ihrem Leben, tranken Bier und den letzten Rest Raki. Langsam wurde Eva bewußt, daß sie für alle Mann ein Abendessen zaubern mußte. Der Gedanke ließ sie erschrecken. Sie war dazu viel zu kaputt. Sie hatte nichts eingekauft, und die Küche sah grauenhaft aus. Auch die Gardinen und die Wäsche fielen ihr wieder ein.

«Ich gehe und hole halbe Hähnchen für alle», schlug Mahmut vor. «Du nicht kochen. Wir noch erzählen von Kurdistan.»
Erleichtert zwinkerte sie Mahmut zu. Im gleichen Moment schämte sie sich dafür. Sie war keine siebzehn mehr. Wie benahm sie sich? Sie guckte Harald an, aber der hatte nichts bemerkt.
Noch während Mahmut unterwegs war, brach ein Streit zwischen Demir und Ali aus. Schuld daran war Elke, die naiv gefragt hatte, was denn nach der Befreiung aus Kurdistan werden sollte. Demir verlangte völlige Autonomie. Einen eigenen, von den Türken unabhängigen Staat. Er hoffte, daß auch die syrischen Teile Kurdistans und die irakischen und die iranischen zu diesem Kurdistan gehören würden.
Ali fand solche Ideen nationalistisch. Sie brachten ihn in starke Erregung. Er glaubte, daß sich das türkische und das kurdische Volk gemeinsam gegen ihre Unterdrücker wehren müßten.
Ali wollte seinen deutschen Freunden die Sache erläutern. «Alle gemeinsam müssen handeln. Türken und Kurden gegen Generäle.» Mit beiden Händen machte er eine Bewegung, als ob ein Ballon platzen würde. «Bouwh! So werden sie wegfliegen, wenn unsere Völker sich zusammen erheben und Revolution machen. Dann später können einzelne Republiken werden. Und die alle sind eine Staat wie in Sowjetunion ist.»
Jetzt schimpfte Demir auf Kurdisch los. Harald Stobbe faßte sich an den Kopf. Auch das noch!

20

Das sture Fiepsen des Weckers empfand Harald als ungebührliche Belästigung. Eva erreichte den Knopf mit der Hand und drückte ihn runter. Stille. Nur das leise Ticken der Uhr. Von Harald hörte sie schon wieder ein verhaltenes Schnarchen. Sie versuchte, sich langsam aufzurichten. Ihr Kopf war so schwer, er drohte einfach von der Schulter zu rollen und ins Kissen zu plumpsen. Sie rieb sich die Augen. Jetzt zwei Alka-Seltzer! Oder wenigstens ein Glas kaltes Wasser. Sie hatte sich vor dem Schlafengehen die Zähne nicht geputzt. Mit dem Mittelfinger rieb sie über das schmerzende Zahnfleisch. Reste des gestrigen Hähnchenschenkels blieben unter ihrem Fingernagel hängen.

«Harald – Harald! Aufstehen – du mußt zum Dienst!» krähte sie. Die ersten Worte waren immer die schwersten. Harald zog sich ein Kissen über den Kopf.

«Oh Gott, nein, nicht. Bitte nicht!»

Eva überwand sich und setzte sich aufrecht hin. Sie durfte auf keinen Fall wieder einschlafen. Sie walkte sich das Gesicht durch und schluckte trocken.

«Harald! Mach. Mir geht es auch nicht gut.»

Jetzt richtete sich Harald neben ihr auf. Er lag im Unterhemd im Bett. Seine Augenlider klebten noch aneinander, sein Gesicht war verschwitzt.

«Wann sind wir ins Bett gekommen?» erkundigte er sich.

«So gegen fünf Uhr.»
Er sackte in sich zusammen. Er wollte nicht zur Schule. Er konnte so auch nicht zur Schule. Wie sollte er das Eva beibringen und dem Direktor? Er fühlte sich als Luftikus, als Taugenichts, der die Nächte zum Saufen und Reden benutzte und am Tage nicht arbeiten konnte. Das setzte ihm viel mehr zu als sein Kater.
«Los – ins Bad mit dir. Die Kinder müssen dir ja nicht ansehen, wie unsolide du geworden bist.»
Das saß. Er wühlte sich aus dem Bett und bewegte sich traumwandlerisch auf das Badezimmer zu. Eva warf sich nur ihren Morgenmantel über und wollte tapfer an die Arbeit gehen. Während er sich duscht, mache ich ihm ein Katerfrühstück, dachte sie, um ihm so den Gang zur Schule zu erleichtern.
Um in die Küche zu gehen, mußte sie durch das Wohnzimmer. Erschrocken blieb sie stehen. Einen Moment lang kam ihr alles recht unwirklich vor. Sie wankte. Wäre sie nur im Bett geblieben! Batterien von Bierflaschen. Aufgereiht auf dem Tisch, vereinzelt neben Sesseln auf dem Boden vergessen. Am schlimmsten aber die übergequollenen Aschenbecher. Die halbvollen Schnapsgläser. Auf der Ledercouch schlief voll angezogen, nur ohne Schuhe, Ali. Demir hatte sich in Evas Lamadecke eingerollt auf dem Teppich zur Nacht gelegt. Die anderen entdeckte sie noch nicht. Sie war sich aber sicher, daß sie auch hier irgendwo lagen und ihren Rausch ausschliefen. Eva rappelte sich auf und nahm die Sache in Angriff. Zunächst öffnete sie beide Flügelfenster. Der Mief mußte abziehen. Sie haßte keinen Geruch so sehr wie den kalter Asche. Sie sammelte drei volle Aschenbecher ein und brachte sie in die Küche, um sie auszuleeren. Auf der

Spüle türmten sich fettige Teller mit abgenagten Hähnchenknochen.
Am liebsten hätte sie die Aschenbecher fallen lassen und sich wieder ins Bett gelegt, aber irgendwie mußte sie eine erträgliche Ordnung in das Chaos bringen. Sie warf sich die Haare aus der Stirn und wollte loslegen. Da wurde ihr der schlechte Geschmack im Mund unerträglich. Sie mußte sich erst die Zähne putzen. Harald war nicht mehr im Badezimmer. Er wollte zu Fuß zur Schule gehen. Er hoffte, die kalte Luft würde ihm helfen.
Sie putzte sich die Zähne, stellte den Wecker auf neun Uhr und kroch wieder ins Bett. Ein bißchen ausgeschlafener ließe sich das Chaos besser beseitigen, dachte sie.
Als der Wecker sie erneut durch sein Fiepsen weckte, stand sie sofort auf und ging in die Küche. Sie kam sich opferbereit vor, weil sie allein saubermachen wollte. Doch sie hörte Stimmen aus der Küche. Ali und Elke. Sie hatten schon den gröbsten Dreck beseitigt. Ali lachte sie an: «Guten Morgen. Ali schon lange wach. Fenster waren ganz weit auf. Da Ali gefroren. Demir und Mahmut schon zur Arbeit. Ich auch gleich weg, aber erst helfen wollen saubermachen.»
Sie war fast ein bißchen gerührt, auf jeden Fall aber sehr erleichtert. Am meisten wunderte sie, daß Elke schon auf den Beinen war. Eva setzte sich an den Küchentisch und trank eine Tasse Kaffee.
Mahmut war schon zur Arbeit. Elke war schon auf, und als sie vorhin die Wohnzimmerfenster geöffnet hatte, war von Mahmut nichts zu sehen. Ob er etwa die Nacht in Elkes Zimmer ... Immerhin – was konnte sie dagegen sagen? Schließlich waren die beiden verheiratet.
«Die beiden anderen sind noch zu Fuß nach Hause ge-

gangen», erzählte Elke und musterte ihre zermürbte Mutter. «Ich glaube, Ma, ich hole dir eine Kopfschmerztablette, und dann legst du dich wieder hin. Macht Pa blau?»

Blaumachen! Was für ein Wort.

Ali trug noch zwei übervolle Abfalltüten nach draußen und verabschiedete sich dann.

Mutter und Tochter saßen sich schweigend eine Weile gegenüber. Sie sahen sich offen an, und Elke empfand Mitleid mit ihrer Mutter. Ihr selbst ging es gut. Sie war nur etwas müde, aber sie hatte nicht zu viel getrunken. Dann platzte Elke mit der Neuigkeit heraus: «Mutti, ich habe mich verliebt!»

Also doch, dachte Eva. Mahmut hat bei ihr geschlafen. So naiv und beiläufig wie möglich fragte sie: «In Mahmut?»

Elke schüttelte die langen Haare und strahlte: «Nein, in Bodo. Mariannes Bruder.»

Sie erwartete wohl einen herzlichen Glückwunsch von ihrer Mutter oder zumindest die Frage: «Wie ist er denn?» oder «Kenn' ich den nicht?»

Aber Eva stand nur auf, um sich selbst eine Kopfschmerztablette zu holen. Dann ließ sie sich schwer wieder auf den Stuhl fallen und schluckte sie mit etwas Kaffee. Ihr blieb auch nichts erspart.

«Weiß Mahmut es schon?» fragte sie zaghaft.

«Nee. Warum sollte er es wissen? Das geht den doch nichts an.»

Vielleicht bin ich ein bißchen altmodisch, dachte Eva. Man muß sich an vieles gewöhnen, wenn man eine achtzehnjährige Tochter hat.

«Habt ihr Krach?» fragte sie.

«Wer?»
«Na, Mahmut und du.»
«Nee. Nicht im geringsten. Wie kommst du denn da drauf?»
Das Gespräch nervte Eva. Sie hatte keine Lust mehr, es weiterzuführen. Und sie war noch zu kaputt, um die Portion Neugier zu entwickeln, die sie brauchte, um alles aus Elke herauszuquetschen. Es gab Komplikationen genug. Sie wollte sich so lange wie möglich aus Elkes Liebesleben heraushalten.

21

Als Harald Stobbe völlig geschlaucht aus der Schule zurückkam, wollte er wie üblich sein Hemd wechseln. Doch er fand zum ersten Mal in seinem Leben kein frisches, gebügeltes Hemd in seinem Schrank. Zunächst schob er es auf seinen schweren Kopf, doch als er Eva fragte und sie nur müde mit den Schultern zuckte, wurde ihm klar, daß sich etwas Grundsätzliches geändert hatte. Ordnung, Sauberkeit, Pünktlichkeit, Fleiß – all das hatte sich in der Wertskala verschoben. Vielleicht war das, was sie jetzt machten, wichtiger, menschlicher, moralischer ... Aber trotzdem konnte er sich schwarz darüber ärgern, daß seine Frau keine Zeit mehr fand, ihm die Hemden zu waschen und zu bügeln.
«Aber ich finde ja selbst kaum noch Zeit, meinen Dienst richtig auszufüllen, Nachhilfestunden zu geben oder Hefte zu korrigieren ... So geht es nicht weiter ...» sagte er zu sich selbst. «So nicht.»
Eva schaltete den Staubsauger aus, zupfte sich eine Haartolle aus der Stirn und sagte: «Jetzt guck nicht so sauer. Gewaschen ist schon alles, aber noch nicht gebügelt. Die Küche habe ich wieder auf Hochglanz, aber das Wohnzimmer ... Meine Gardinen sind ganz verqualmt. Man kann es richtig riechen. Bis deine Nachhilfeschüler kommen, habe ich das Gröbste beseitigt.»
Harald sagte nichts. Er schluckte eine Kompensan für seinen Magen und rechnete aus, was ihn seine Versäum-

nisse bisher gekostet hatten. Die Fehlstunden in der Schule fielen nicht so sehr ins Gewicht; aber an einem Nachmittag verdiente er mit seinen Nachhilfeschülern vierzig bis sechzig Mark. Fast tausend Mark nebenbei pro Monat. Das war Evas Haushaltsgeld. Sein Gehalt ging fast vollständig für das Haus drauf. Zwei Prozent jährlicher Abtragung plus elf Prozent Zinsen. Er konnte es sich nicht leisten, die Nachhilfestunden ausfallen zu lassen, auch wenn er sich noch so schlecht fühlte. Er mußte wieder ein normales, geregeltes Leben führen. Irgendwann würde er ohnehin wieder dazu gezwungen werden. Von der Bank, von dem Schulrat oder dem Hausarzt.

Als er eine ausgedrückte Zigarette im Gummibaumkübel sah, empfand er Ekel.

Eva schaltete den Staubsauger wieder ein. Erst jetzt wurde er sich bewußt, daß sie solche lärmintensiven Hausarbeiten immer in seiner Abwesenheit verrichtet haben mußte. Eine Rücksichtnahme auf ihn, die nie eine Erwähnung gefunden hatte, für die er aber jetzt nachträglich Dankbarkeit empfand.

Ein bißchen schämte er sich. Eva mußte genauso kaputt sein wie er. Sie ist ein harter Brocken, dachte er. Dann fiel ihm der Brief an den Oberstadtdirektor ein, und er fragte sich, ob er diesen Brief nicht hätte freundlicher formulieren können. Die Idee, eine Flugblattaktion zu starten mit ihm als Unterzeichner, erschien ihm immer dümmer.

Er ging zum Kühlschrank und öffnete die Tür. Dann stand er unentschlossen und unzufrieden davor und betrachtete das Angebot. Er wollte etwas Kühles ohne jeden Zusatz von Alkohol. Aber so etwas gab es nicht.

«Du mußt mal wieder etwas Vernünftiges einkaufen!»

rief er zu Eva herüber. Aber sie hörte nichts, weil der Staubsauger lärmte. Zum Glück hörte sie nichts, dachte er, denn sie wäre über diesen Satz bestimmt nicht erfreut gewesen.
Er war unzufrieden mit sich selbst. Daher reagierte er ungerecht gegen andere. Dies war ihm völlig klar, und er genierte sich auch deswegen, aber er änderte es nicht. Er konnte es nicht ändern. Er war eben so.
Etwas verstehen und etwas ändern waren zweierlei.
Plötzlich schoß Eva in die Küche und riß den Backofen auf. Es qualmte. Sie fächerte sich mit den Armen eine freie Sicht und nahm in jede Hand ein Handtuch. Harald verstand nicht, warum sie ausgerechnet jetzt einen Kuchen backen mußte. Es war ihm völlig entgangen, daß ein Kuchen im Backofen . . .
«Verbrannt! Hast du denn nichts gerochen?» schimpfte sie.
Er zuckte gleichgültig mit den Schultern.
«Du stehst hier neben dem Ofen. Du hättest es riechen müssen! Hat denn die Uhr nicht geklingelt? Ich konnte doch nichts hören, der Staubsauger ist viel zu laut.»
Sie knallte den verbrannten Kuchen auf die Spüle.
«Mußt du denn jetzt unbedingt einen Kuchen . . .»
«Ja! Ich muß! Einmal im Jahr kommen meine Freundinnen – und da sieht es bei uns aus wie Sodom und Gomorrha!»
Sie machte einen verzweifelten Eindruck auf ihn.
«Aber wieso – welche Freundinnen – und warum heute –?»
«Ich habe es in der Aufregung mit den Kurden ganz verschwitzt. Aber ich kann nicht absagen. Das wäre unmöglich. Wo sie nur einmal im Jahr zu mir kommen.»

Das sah er ein. Er ließ sich einen Staublappen geben, und dann führte sie Regie, und er war ihr Hauptdarsteller.
Sie trafen sich viermal im Jahr. Sie waren vier Freundinnen. Das heißt, sie hatten sonst nichts miteinander zu tun. Immer zu den wechselnden Jahreszeiten trafen sie sich, erzählten sich Geschichten, zogen über andere Leute her und aßen Kuchen. Sie zeigten sich die Fotos ihrer Kinder und plauderten über die Berufspläne ihrer Männer. Zu Weihnachten, zu jedem Geburtstag und Hochzeitstag tauschten sie Postkarten aus. Harald hatte nichts gegen diese Freundinnen. Er respektierte diese distanzierte Art der Freundschaft. Die genauen Spielregeln und die Regelmäßigkeit.
Aber mußte es ausgerechnet heute sein?
Kurz bevor seine Nachhilfeschüler kamen, schickte Eva ihn noch in die Konditorei, ein paar Stückchen Kuchen zu kaufen. Es war ihr zwar peinlich, nichts Selbstgebackenes bieten zu können, aber sie beschloß einfach, ihren Freundinnen von den schlimmen Ereignissen bei der Ausländerpolizei zu erzählen. Es würde ein spannender Nachmittag werden. Mit ihrer Geschichte von den Asylanten und der sturen Behörde rechnete sie auf interessierte Zuhörer. Was waren dagegen schon die Blinddarmentzündung von Juttas Sohn und die geschwollenen Mandeln von Luises Tochter?
Harald brachte den Kuchen. Mehr als er holen sollte. Dann zog er sich mit seinen Nachhilfeschülern in sein Arbeitszimmer zurück. Einer kam nicht mehr. Sein Vater sagte telefonisch ab. Er wollte lieber einen Studenten beschäftigen. Der käme wenigstens ins Haus, alles hätte seine Regelmäßigkeit, und obendrein sei ein Student billiger. Harald fragte, was er mit Regelmäßigkeit meinte.

Der Vater ging nicht auf seine Frage ein, doch er hatte Harald tief getroffen. Hatte er etwa durch seine Nachlässigkeit einen Nachhilfeschüler verloren? Aber – jeder Nachhilfelehrer konnte einmal krank werden. Verhindert sein. Das war doch kein Grund, sich einen anderen zu suchen.

22

Als Bodo sie ins Kino einlud, dachte Elke, daß er sich mit ihr gemeinsam einen Film ansehen wollte. Auch gegen ein bißchen Zärtlichkeit hatte sie nichts einzuwenden. Händchenhalten. Küßchengeben.

Daß er plötzlich zum Polypen mit einem Dutzend Armen und Händen wurde, gefiel ihr nicht. Zunächst fand sie es noch ein bißchen schmeichelhaft. Es lief auch erst die Werbung, und die war uninteressant. Wenige Minuten später wurde es ihr lästig. Dann fauchte sie: «Hast du mich nur mitgenommen, um was zum Fummeln neben dir zu haben oder was?»

«Stell dich doch nicht so an!»

«Bilde dir nur nicht ein, daß du jederzeit an mir herumgrapschen kannst, bloß weil ich mal mit dir geschlafen habe! Ich will jetzt den Film sehen. Sonst hätten wir ja gleich in den Kohlenkeller gehen können – wenn es nur darum geht, daß es dunkel ist!»

Bodo setzte sich in den Sessel zurück, verschränkte die Arme demonstrativ vor der Brust und schmollte.

Nach dem Kino gingen sie schweigend nebeneinander her. Vor einer Imbißbude stoppte Bodo.

«Magst du ein Schaschlik?»

«Ja, gerne. Aber bezahlen möchte ich für mich selber.»

Sie zogen mit spitzen Fingern die Fleischstäbchen aus der roten Soße. Die Spieße waren nur lauwarm. Mehr Fett als Fleisch. Die Zwiebelstückchen hingen schlabbrig weichgekocht am Holzstäbchen.

Bodo wischte mit dem Fleisch immer wieder durch die Soße, um es so gut wie möglich zu würzen.
Er kaute, sah sie von oben herab an, schluckte und fragte:
«Wie heißt er?»
«Wer?»
«Na, dein anderer Typ? Ein Mädchen, das sich so anstellt wie du, hat noch einen anderen. Oder meinst du, ich bin blöd?»
So wie sie ihn jetzt ansah, rechnete er damit, gleich das Schaschlik samt Soße ins Gesicht zu bekommen. Aber sie tat nichts dergleichen, sondern aß stumm und ein bißchen angewidert ihr Fleisch auf. Das weiche Brötchen ließ sie liegen.
Bodo benutzte es, um damit auch den letzten Rest Soße von dem Pappteller aufzusaugen.
Ihm schmeckte es. Er überlegte, was dagegen sprach, noch ein Schaschlik zu essen.
Schon von weitem hörte Elke sie rufen. Es waren Mahmut, Demir und Ali.
«Elke! Elke!»
Sie rannten auf sie zu. Sie machten einen aufgeregten Eindruck. Elke stellte sie vor. Nur zögernd gab Bodo ihnen die Hand. Es verwirrte ihn, daß Elke diese drei Männer offenbar ziemlich gut kannte.
Mahmut sah Bodo unsicher an und fragte dann Elke:
«Ich muß dich sprechen. Nur einen Moment. Wenn geht alleine.» Sofort ging Elke ein paar Meter weiter mit Mahmut. Verständnislos blickte Bodo auf die beiden anderen Türken, die ihn anlächelten.
Er schätzte sie daraufhin ab, ob er gegen sie alle drei gleichzeitig eine Chance hätte. Jeden einzeln würde er mühelos schaffen – aber alle drei . . .

Mahmut legte einen Arm um Elke und flüsterte: «Ausländerpolizei war bei meine Wohnungsvermieter. Sie haben gefragt, ob ich da mit meine Frau wohne oder nicht. Sie haben gesagt, wenn wir nicht zusammen wohnen, dann wir nicht richtig verheiratet. Du – verstehn? Wenn nicht richtig verheiratet, dann Ausweisung sofort ... Was jetzt tun? Mahmut hat Angst.»
Um ihn zu beruhigen, streichelte sie sein Gesicht. «Wir müssen mit deinem Anwalt reden, und notfalls melde ich mich bei dir an. Ich brauche ja nicht richtig dort zu wohnen. Es reicht bestimmt schon, wenn ich meinen Wohnsitz bei dir anmelde. Mach dir keine Sorgen. Das kriegen wir schon hin. Wissen meine Eltern schon ...»
«Nein. Ich gerade erst gehört. Heute Nacht besser ich schlafe nicht in meine Wohnung. Ich schlafe bei Freund.»
«Warum?»
«Wenn sie dann kommen, Mahmut holen wollen, Mahmut gar nicht da.»
Elke fand das reichlich übertrieben, sagte es aber nicht. Seine Angst war verständlich. Er kannte die deutschen Gesetze nicht.
«Sie haben Freund von mir vor zwei Wochen nachts aus Wohnung geholt. Der war noch an schlafen. Bevor richtig wach war, der war schon in Ankara.»
Vielleicht, dachte sie, vielleicht kennt er unsere Gesetze nicht. Aber die Praxis kennt er sicherlich besser als ich. Sie verabredeten sich für den nächsten Tag. Dann zog Mahmut mit seinen Freunden ab.
«Woher kennst du denn die Kanaken?» fragte Bodo zornig.

23

Nachdenklich räumte Eva die Kuchenteller und Kaffeetassen in die Spülmaschine. Sie hatte die Reaktion ihrer Freundinnen auf die Kurdengeschichte noch nicht verdaut. Von Elkes Heirat hatte sie natürlich nichts erzählt. Nur von den Ungerechtigkeiten, von dem Lexikon, von Kaltenbach und ihrer Wut. Luise fand das alles ganz richtig. «Wo wir für unsere eigenen Leute schon keine Arbeit mehr haben, da können wir nicht noch ein paar Millionen Türken mitdurchfüttern», hatte sie gesagt. Ja, mitdurchfüttern. Außerdem konnte sie sich nicht vorstellen, daß die Zustände in der Türkei wirklich so schlimm seien. «Die suchen doch nur einen Grund, um sich bei uns ein schönes Leben zu machen.»

Erst als diese Worte fielen, wurde Eva klar, daß sie nie eine politische Diskussion bei ihren Treffen geführt hatten. Keine wußte von der anderen, was sie wählte. Sie redeten über ganz andere Dinge. Über Kinder, Männer, Urlaub.

Jetzt empfand sie es als großen Mangel. Warum war die Politik immer draußen geblieben? Eine unbestimmte Angst vor Streit mußte es gewesen sein, diesen Bereich des Lebens auszuklammern. Oder hatten sie die Politik bisher gar nicht als Bereich ihres Lebens empfunden? War das nicht eine Sache, um die sich Leute kümmern mußten, die dafür bezahlt wurden: die Politiker?

Jutta fragte dann nach Kaltenbachs Aussehen. Eva be-

schrieb ihn. Dann nickte Jutta. Sie kannte ihn.
«Als ich mal für ein Jahr auf der Mittelschule war – ihr wißt ja – später bin ich wieder abgegangen –, da war der in meiner Klasse. – Ich war ein bißchen verliebt in ihn.» Sie kicherte. «Vor ein, zwei Jahren habe ich ihn noch einmal wiedergetroffen. So durch Zufall – auf der Straße. Er erzählte, daß er jetzt bei der Verwaltung sei. Ja, das muß er sein. Hach, war der früher süß. So schüchtern! Der wurde schon rot, wenn ihn ein Mädchen ansah. Seine Eltern achteten immer darauf, daß er ganz korrekt gekleidet war. Keine langen Haare oder so ... aber einen kleinen Schnauzer hat er damals schon gehabt. Ganz weich. So ein Milchbärtchen.»
Eva wollte mehr über ihn wissen, und Jutta erzählte gern.
«Der war immer so guter Durchschnitt. Kein Streber. Mittelmäßig. Also wenn alle Schüler so wären, hätte dein Mann bestimmt weniger Ärger.»
«Wieso?»
«Na, der kam nie zu spät, der gab keine patzigen Antworten, machte immer seine Hausaufgaben ... gab nie zu Klagen Anlaß. Ich war nicht das einzige Mädchen, das in ihn verliebt war. Aber ich glaube, der war so schüchtern, daß er es nicht einmal bemerkt hat. Wir waren sogar mal im Zoo – auf meine Initiative hin. Ich dachte, so auf der Parkbank oder zwischen den Affenkäfigen käme es vielleicht zu einem ersten Kuß – na ja – ihr wißt doch, wie das damals war. Wir – na – ist ja auch egal – jedenfalls hat er nicht mal einen Arm um mich gelegt.»
Komisch, dachte Eva, ich hatte ein ganz anderes Bild von ihm. Ich könnte ihn mir besser als Draufgänger vorstellen. Als mädchenvernaschendes Monster, der seine Lehrer terrorisierte und vor dem die Mütter Angst hatten.

Nun fügten sich ganz andere Teile in das Puzzlespiel. Sie wollte möglichst viel über ihn wissen. Was brachte einen Menschen dazu, so zu werden wie Kaltenbach?
Sie stellte ihn sich jetzt als hübsches, zartes Jüngelchen vor. Ein bißchen verklemmt, zu behütet aufgewachsen. Mit durchschnittlichen Zensuren und der Hoffnung, später im Leben einmal etwas darzustellen.
Er hatte Macht. Mißbrauchte er sie zu seinem persönlichen Vergnügen oder war er nur ein Rädchen in dem ganzen gut geölten Getriebe?
Regierte er willkürlich in seinem eigenen Königreich oder funktionierte er nur, tat, was man von ihm verlangte, war wieder Durchschnitt?
Harald betrat die Küche und wunderte sich, daß der Besuch schon gegangen war.
«Es war heute nicht so schön wie sonst. Irgendwie kam keine Stimmung auf.»
«Vielleicht», sinnierte Harald, «solltest du dir andere Freundinnen suchen. Der Altersunterschied ist doch ein bißchen groß. Sie sind fast alle zehn oder fünfzehn Jahre jünger als du . . . Nur, daß ihr euch bei einem Batikkursus kennengelernt habt, ist vielleicht doch ein bißchen wenig.»
Eva wollte ablenken. Sie schlug vor, die Schwiegermutter zu besuchen.
«Meine Mutter?»
«Ja.»
«Heute?»
«Stell dich nicht so dumm an, Harald! Warum nicht heute? Wir haben sie sonst jede Woche besucht. Wir können nicht nur wegen der Kurden . . .»
Er hob die Hände über den Kopf.

«Himmel, Herrgott! Wir können uns doch nicht zerreißen!»
Eva hätte ihn jetzt wieder daran erinnern können, wie oft sie bei seiner Mutter waren, als sie ihnen die hunderttausend Mark ihrer Lebensversicherung überschrieben hatte. Ohne dieses Geld wäre der Bau unmöglich gewesen. Damals war sogar die Rede davon, daß sie miteinziehen sollte. Eva fand es schofelig, daß sie jetzt die Besuche bei ihr nur noch als wöchentliche Pflichtübung verstanden. Aber sie erwähnte es nicht. Beim letzten Mal hatte sie Harald damit ziemlich aus der Fassung gebracht, und er hatte im Augenblick genug Probleme.
Sie war froh, den Tiefschlag nicht angebracht zu haben, denn Elke erschien, sah sauer aus und präsentierte ihnen Mahmuts Problem, noch bevor sie Mantel und Schuhe auszog.
Vor wenigen Tagen hatte Harald Stobbe nur dann eine Pfeife geraucht, wenn tiefe Ruhe in ihm und um ihn war. Die Pfeife als Symbol der Harmonie und Gelassenheit. Jetzt stopfte er sich eine Pfeife, weil er hoffte, daraus die nötige Ruhe saugen zu können. Eva brachte ihm vorsorglich eine Kompensan. Nervös ging er im Wohnzimmer vor den Fenstern auf und ab und nuckelte an seiner Stanwell.
Er hatte gehofft, die Ehe zwischen Mahmut und Elke überflüssig zu machen, um sie dann annullieren zu lassen. Statt dessen verstrickten sich Elke und die ganze Familie immer mehr in die Sache. Es war nur noch eine Frage der Zeit, wann seine übergeordnete Schulbehörde Wind bekommen würde. Auch für Elke wurde die Geheimhaltung schwieriger. Wenn sie sich jetzt noch in Mahmuts Wohnung anmelden mußte, dann setzte das einigen Pa-

pierkram voraus. Auch in den Meldebögen für das Kindergeld hatte er angegeben, daß seine unverheiratete Tochter in seinem Haushalt lebte. Das mußte er ändern. Er konnte es sich in seiner Position unmöglich leisten, Kindergeld zu kassieren, das ihm nicht mehr zustand. Das Loch in seiner Kasse wurde wieder etwas größer. Wenn er die Angaben nun zum Kindergeld machte, erfuhr das dann die Schulbehörde? Ging das automatisch an Elkes Direktor weiter? War es also gar nicht zu verhindern, daß Elkes Lehrer in kürzester Zeit erfahren würden, daß sie als Schülerin schon verheiratet war? Mit einem Türken obendrein. Zwischen Türken und Kurden unterschieden die sowieso nicht. Oder blieb das alles geheim, weil es unter den Datenschutz fiel?

Das Wort Datenschutz ging ihm nicht aus dem Kopf. Ja, das hieß, daß Daten des Bürgers nicht ungehindert allen Leuten zugänglich waren. Aber innerhalb von Behörden? Er hatte sich nie damit befaßt. Was interessierte es ihn, ob man seine harmlosen Daten kannte oder nicht? Jetzt wurde ihm klar, wie wichtig so ein Datenschutz war. Er ärgerte sich, weil er sich nicht schon vorher damit befaßt hatte. Waren diese Daten nun geschützt oder nicht?

Überhaupt, fiel ihm jetzt ein, daß er Elke auch aus seiner Krankenkasse abmelden mußte. Sie war ab jetzt bei Mahmut mitversichert. Oder wie lief das? Der Gedanke an den Papierkram machte ihn wütend. Auch fiel sie ab jetzt aus seiner Steuererklärung heraus, denn offiziell lebte sie ja nicht mehr in seinem Haushalt und wurde auch nicht mehr von ihm ernährt. Wieder wurde das Loch in Haralds Kasse größer.

Ali rief an. Er gab vierzehn Namen und Adressen von Landsleuten durch, die Kaltenbach auf die gleiche Tour hereingelegt hatte wie ihn. Eva schrieb die Namen auf. Es war eine mühselige Arbeit, weil Ali fast jedes Wort einzeln buchstabieren mußte.

Während Eva noch telefonierte und Harald im Wohnzimmer auf und ab lief, klingelte es. Haralds Pfeife zog nicht mehr. Er ging zur Tür und öffnete. Vor der Tür standen zwei Männer. Beide um die dreißig. Korrekt gekleidet, höflich lächelnd. Vertreter! schoß es Harald durch den Kopf. Oder Zeugen Jehovas oder sonst eine Sekte. Er wollte die Tür zuknallen, da sagte einer der Herren freundlich: «Guten Tag, wir kommen, um die Verhältnisse ihrer Tochter zu überprüfen. Sie sind doch Herr Stobbe – oder?»

Harald wollte den Tabak neu anzünden, doch jetzt ließ er das Streichholz sinken.

«Die Verhältnisse meiner Tochter? Wer sind Sie überhaupt?»

Der Typ nuschelte zwei Namen, die Harald nicht verstand, und hielt ihm ein in Plastikfolie eingeschweißtes Stückchen Papier unter die Nase, das er gleich wieder einsteckte. Dann fuhr er fort: «Sind Sie darüber informiert, daß ihre Tochter geheiratet hat?» Aus den Augenwinkeln beobachtete der Mann Haralds Reaktion, und schlagartig wurde Harald bewußt, worauf die Sache hinauslief.

Die Behörden mußten beweisen, daß Mahmuts Ehe mit Elke eine Scheinehe war. Nur so konnten sie ihn abschieben. Deshalb erschienen zwei Herren bei Mahmuts Vermieter. Deshalb waren sie hier. Es bestand immerhin die Möglichkeit, daß er, der Vater, gar nichts von der Ehe wußte. Vielleicht rechneten sie damit, daß er nun aus allen Wolken fallen würde und sie schließlich hereinbitten

würde, um genaue Auskunft zu verlangen. Vielleicht würde er sogar in ihrem Beisein seine Tochter zur Rede stellen, vielleicht würde sie unter Tränen gestehen, eine Scheinehe eingegangen zu sein – und schon hätte sich die leidige Geschichte der Abschiebung problemlos regeln lassen.
Sie hatten eine gute Zeit gewählt. Es war schon fast 21 Uhr. Sie vermuteten die Familie jetzt vor dem Fernseher.
Sekunden später standen Elke und Eva hinter ihm. Als Harald Stobbe seine Familie bei sich spürte und die unsicheren Gesichter der beiden Männer sah, wurde er ruhiger. Er zog Elke an sich. Er drückte sie so fest mit einem Arm, daß es ihr fast wehtat.
«Das hier ist meine Tochter. Sie hat geheiratet. Und ich werde sie beschützen. Vor allen Intriganten, die mit Dreck nach ihr werfen. Niemand wird einen Keil in unsere Familie treiben. Lassen Sie uns in Ruhe. Hauen Sie ab!»
Harald schob Eva und Elke von der Tür weg, dann knallte er sie zu.
Vater und Tochter hielten sich umschlungen. Sie atmeten schwer. Keiner weinte.
«Kinder, Kinder, auf was haben wir uns da eingelassen? Das wird noch bös enden», jammerte Eva.

24

Noch bevor Harald zur Schule ging, brachte der Postbote einen Brief vom Oberstadtdirektor.

Gewöhnlich öffnete Harald Briefe mit dem Brieföffner, der auf seinem Schreibtisch lag. Diesen aber riß er einfach auf. Rasch huschten seine Blicke über die Zeilen. Dann wurde er ruhiger.

«Na bitte. Es kommt alles wieder in Ordnung. Man muß eben nur den verantwortlichen Leuten . . .»

Eva nahm ihm den Brief ab und las.

« . . . um Ihre schwerwiegenden Anschuldigungen gegen Herrn Kaltenbach und die Ausländerbehörde überprüfen zu können, bitte ich Sie, mir Zeugen für Ihre Behauptungen zu benennen. Erst dann kann ich über die Eröffnung eines Disziplinarverfahrens entscheiden. Eine Nachfrage von mir bei der Ausländerbehörde ergab, daß dort – gemäß den Vorschriften – wichtige Gespräche nur im Beisein eines Dolmetschers geführt werden. Auch liegen selbstverständlich zweisprachige Formulare auf, um bei den Betroffenen Rechtsklarheit zu schaffen. Ich bitte Sie also, Beweise zu bringen oder Zeugen zu benennen. Ich werde mich dann persönlich um die Bereinigung der Angelegenheit kümmern. Mit freundlichen Grüßen...»

Eva war längst nicht so begeistert von dem Brief des Oberstadtdirektors wie Harald.

Es gefiel ihr gar nicht, daß sie Zeugen benennen sollten. Sie konnte ihr ungutes Gefühl nicht genau erklären, aber

sie spürte ein dumpfes Mißtrauen gegen den Oberstadtdirektor. Etwas an diesem Brief flößte ihr Angst ein. Vielleicht die glatte Art. Diese emotionslosen Sätze.
Harald versuchte ihre Zweifel zu zerstreuen. Er fand die Handlungsweise des Oberstadtdirektors völlig korrekt. Schließlich mußte er erst Beweise sammeln und Zeugenaussagen. Er konnte nicht einfach ins Blaue hinein gegen einen Beamten oder eine Behörde vorgehen.
«Eben», sagte Eva. «Vielleicht stört mich das. Er handelt so korrekt. Warum reagiert er nicht wie normale Menschen darauf? Mit einem Wutausbruch?»
«Aber Eva, er muß doch erst sehen, was an der ganzen Sache überhaupt dran ist.»
Harald hatte keine Zeit mehr. Er mußte jetzt zum Dienst. Eva sah ihm eine Weile nach, ein Verdacht fraß sich in ihr fest: Was, wenn die bloß rauskriegen wollten, welche Asylanten ihren Trick durchschaut hatten und sich wehrten? Wenn Harald ihnen die Zeugen nannte, dann konnte das einer Denunziation gleichkommen. Vielleicht würde man sich der lästigen Zeugen schnell durch Abschiebung entledigen.
Tiefe Traurigkeit überkam sie. Das Gefühl, niemandem trauen zu können, fand sie erniedrigend. Sie wollte sich einen Schnaps eingießen, tat es aber nicht. Es war noch etwas heißer Kaffee in der Kanne. Bevor sie sich an die Wäsche und die Gardinen begab, trank sie den aus.
Noch vor wenigen Tagen war ein Oberstadtdirektor ein nobler, edler Mann für sie. Jemand, der es zu etwas gebracht hatte. Jemand, vor dem man Respekt haben sollte. Jetzt reichte ihr die Tatsache, daß er ein Mann mit Einfluß und Macht war, um ihm zu mißtrauen. Ihre Wertvorstellungen hatten sich ins Gegenteil gekehrt.

Nein, so konnte man das auch nicht sagen. Aber doch einige ihrer Wertvorstellungen. Sie mußte früher sehr naiv gewesen sein. Das war nun vorbei. Doch sie fragte sich, ob sie mit ihrer Naivität nicht glücklicher war und problemloser durchs Leben kam.

25

Harald fand in seinem Fach ein Zettelchen mit einer kurzen Mitteilung des Direktors. Er wollte ihn gerne sprechen. Nach der zweiten Stunde ging Harald ins Direktorzimmer. Der Chef bemühte sich krampfhaft, einen gefaßten Eindruck zu machen, wodurch er noch erregter wirkte. Etwas Schwerwiegendes mußte passiert sein.

Der Direktor saß hinter seinem Schreibtisch wie ein Geier, der seine Beute schon sah, aber befürchtete, von einem anderen Tier vertrieben zu werden, und deswegen das Gelände sondierte.

«Sie haben sich», begann er freundlich, «zum Anwalt benachteiligter Minderheiten gemacht. Nun, ich begrüße es sehr, wenn sich die Kollegen auch außerhalb des Dienstes engagieren. Aber glauben Sie nicht, daß Ihre Dienstauffassung in letzter Zeit etwas darunter gelitten hat?»

Haralds Atem ging schneller. Sein Herz flatterte. Damit hatte er nicht gerechnet. Er dachte, es ginge um einen Schüler. Jetzt war er selbst zum Gegenstand der Diskussion geworden. Aber woher wußte der Direktor, daß er ... Ob die Sache mit Elke bekannt geworden war? Vielleicht hatten auch die beiden Männer von der Ausländerpolizei ... Warum nicht, wenn die Vermieter und Eltern aufsuchten, warum sollten sie dann keinen Druck ausüben, indem sie bei den Vorgesetzten auftauchten ... Vielleicht waren sie auch schon in Elkes Schule ...

Harald merkte, daß er mit den Fingern knackte. Mit

einem Blick wies ihn der Direktor zurecht.
Nachdem der Direktor Harald Stobbes Gesichtszüge zur Genüge analysiert hatte, sagte er: «Sie wollen mir doch nicht weismachen, sie wüßten von der Sache nichts!»
Also ging es doch um Elke. Harald schluckte. Doch sein Widerstandswille erwachte schon. Die Sache ging den Direktor gar nichts an! Er würde sich von dem nicht in die Enge treiben lassen.
Da hielt der Direktor ihm die Zeitung hin. Ein kleiner Artikel war mit Bleistift umrandet. Harald las.
«Der türkische Arbeiterverein hat gestern auf einer Pressekonferenz erklärt, daß es angeblich Unregelmäßigkeiten bei der Behandlung von Asylanten durch die Ausländerbehörden unserer Stadt gibt. Betroffene wurden aufgefordert, sich bei Studienrat Harald Stobbe, Steintorweg 24, Telefonnummer 151623 zu melden. Um die Öffentlichkeit auf die Vorgänge aufmerksam zu machen, bereitet der Arbeiterverein eine Demonstration vor.»
Es war ein Einspalter. Insgesamt nur fünfzehn Zeilen lang. Nichtssagend wie meist in der Lokalzeitung. Doch den Direktor brachte diese Sache in Rage. Er war von Geburt an gewöhnt, den Stärkeren zu respektieren. Für ihn bedeutete jede Auflehnung gegen die staatliche Autorität ein Vergehen, das seinen Ordnungssinn beleidigte. Er gehörte zu denen, die nach dem Krieg nahtlos vom Nazi zum Demokraten geworden waren. Er hatte sich beiden Systemen angepaßt. Kritik an der Obrigkeit war ihm verhaßt. Nur Neider nörgeln an denen da oben herum. Er hatte früher nichts auf den Hitlerstaat kommen lassen. Er hatte ihn gegen alle Nörgler und Besserwisser verteidigt. Dem neuen Staat gegenüber verhielt er sich nicht anders. So schaffte er sich Freunde, wurde mühelos

entnazifiziert. Wie oft hatte er versucht, seinen Schwager auf die rechte Bahn zu bringen. Aber der lernte nichts dazu. Unter Hitler im KZ, gerade noch überlebt, und unter Adenauer ging er schon wieder in den Knast. Verstoß gegen das KPD-Verbot. Dem war nicht zu helfen. Zum Glück war er seit zehn Jahren tot. Der hätte noch die ganze Familie ins Unglück gestürzt. Seiner Beförderung zum Direktor stand dieser Schwager lange im Wege. An ihn mußte er denken, als er den Anruf vom Oberstadtdirektor bekam, der mal nachfragte, was denn dieser Harald Stobbe für ein Mann sei, und ob da vielleicht schon mal etwas Politisches vorgefallen sei. Dann hatte der Oberstadtdirektor aus dem Brief zitiert.
Allein den Ton empfand der Direktor als eine Unverschämtheit. Er versprach, sich Harald Stobbe mal vorzuknöpfen. Das gefiel dem Oberstadtdirektor. Er wollte in dieser Sache nicht gerne ein zweites Mal belästigt werden. Nun konnte der Direktor Harald Stobbe schlecht zu sich rufen, um über den Brief mit ihm zu reden. Da kam dieser Zeitungsartikel wie gerufen. Harald Stobbes Stundenplan hatte er schon umstellen lassen. Da gab es Kollegen, die liebend gerne einige Nachmittagsstunden eintauschten. Wenn man es klug regelte, konnte man schon am Freitag nach der dritten Stunde ins Wochenende fahren. Damit war es jetzt für Harald vorbei.
«Wie gesagt, ich habe natürlich gar nichts gegen Ihre Aktivitäten, solange sie mit Ihrem Dienst zu vereinbaren sind. In dem Zusammenhang muß ich Sie leider bitten, mittwochs und freitags jeweils zwei Nachmittagsstunden zu übernehmen, weil Herr Kollege Dürenlopp . . .»
«Aber Herr Direktor, ich habe doch schon am Dienstag und . . .»

Der Direktor hob entschuldigend die Arme über seinen Kopf und rutschte gleichzeitig im Sessel tiefer. «Sie wissen doch, wie das ist, Herr Kollege Stobbe – wenn man alle Wünsche berücksichtigen wollte ... Der gute Herr Kurz hat schon sooo einen Kopf. Fast alle Kollegen beklagen sich bei ihm. Aber was will man tun? Man kann es nicht jedem recht machen. Und da müssen die Kollegen untereinander schon mal solidarisch sein ...»
Harald Stobbe hörte nicht mehr zu. Er mußte sich ohnehin verabschieden. Seine dritte Stunde begann. Die Pause war mit diesem Gespräch draufgegangen. Nicht einmal einen Kaffee hatte er ihm angeboten, aber von Solidarität schwafeln! Trotzdem – als er die Treppen zu seiner Klasse hochging, war er nicht nur auf den Direktor sauer! Mahmut und die ganze Bagage hatten ihn reingelegt. Von dieser Pressekonferenz wußte er nichts. Das war nicht abgesprochen. Außerdem hätte er nie seine Zustimmung dazu gegeben, seinen Namen zu veröffentlichen und sogar seine Telefonnummer. Jetzt würde die Hektik bei ihm noch schlimmer werden. Wenn er allein an all die Anrufe dachte. Wie viele Asylanten mochte es in der Stadt geben? Hundert? Fünfhundert? Wenn die nun alle ... nicht auszudenken!
Und seine Nachhilfestunden mußte er auch aufgeben oder einschränken. Immerhin waren jetzt zwei zusätzliche Nachmittage weg. Dafür hatte er ab und zu zwischen den Blöcken sinnlose Freistunden. Donnerstags kam er jetzt zur ersten Stunde, hatte dann zwei Freistunden, gab wieder eine Stunde, zwei Freistunden und dann zwei Nachmittagsstunden ... Er spürte, wie die Magensäure beängstigend zunahm. Er kramte in der Jackentasche. Auch das noch. Die Tabletten vergessen!

26

Bodo wartete vor der Schule auf Elke. Sie war doch mehr für ihn als ein Fummelobjekt. Einerseits störte ihr Engagement ihn. Andererseits reizte es ihn, sich mit ihr auseinanderzusetzen, ja zu streiten. Ihr engelhaftes Haar entschädigte ihn für manch schnoddriges Wort. Seit er sie mit den Türken zusammen gesehen hatte, plagte ihn eine schmerzende Eifersucht. Der Gedanke, sie könnte sich von einem anderen berühren lassen, quälte ihn. Bald mußte er wieder raus. Auf große Fahrt. Natürlich würde er sich dann in den Häfen amüsieren. Das war eben so bei Matrosen. Aber er wollte sie auf Nummer sicher haben. Als feste Freundin. Sie sollte hier auf ihn warten. Ihm glühende Liebesbriefe schreiben und vor Sehnsucht vergehen.

Schon kurz vor dem Klingelzeichen strömten die ersten Schüler an ihm vorbei.

Elke sah ihn sofort. Sie blieb noch eine Weile von einer Glastür geschützt stehen und beobachtete ihn. Er konnte von außen durch das Glas nur schwer in den Flur gucken. Die Blicke ihrer Klassenkameradinnen fielen Elke auf. Sie musterten den stattlichen jungen Mann. Einige gingen erst wie uninteressiert an ihm vorbei und drehten sich dann nach ihm um. Er schindete Eindruck. Sie empfand einen winzigen Stich Eifersucht und gleichzeitig Stolz. Die würden Augen machen, wenn sie jetzt ...

Sie lief von der Tür aus auf ihn zu. Sie spielten große

Begrüßung. Er hob sie aus dem Schritt leicht an und wirbelte sie dann einmal im Kreis. So kamen ihre fließenden Haare am besten zur Geltung.
Auch Michael sah zu. Er war ebenfalls gekommen, um sie von der Schule abzuholen, aber als er Bodo erblickte, verzog er sich in einen Häusereingang. Später setzte er sich hin und schrieb einen Brief an Elke, den er nie abschickte. Er nannte darin die Begrüßungsszene werbefilmreif und schlug ihr vor, zusammen mit ihrem Typen als Bravotraumpaar zu kandidieren.
Er wußte, wie sehr er sie damit beleidigte. Als er den Brief schrieb, wollte er das auch. Beleidigen. Wehtun. Aufrütteln. Später hatte er keinen Mut mehr dazu.
Statt dessen schrieb er einen Brief an Bodo. Einen anonymen Brief. WEISST DU EIGENTLICH, DASS DEINE MIEZE VERHEIRATET IST? MIT EINEM KÜMMELTÜRKEN?
Bodo würde dafür kein Verständnis haben. Für die Sache als solche vielleicht noch. Nicht aber dafür, daß sie ihm alles verschwiegen hatte. Er würde sie verlassen, dann war die Bahn frei für ihn: Michael, ihren Seelsorger. Er würde sie trösten, ihr erzählen, Bodo sei doch ein hirnloser Muskelprotz. Dann würde er sie loben, daß ihre Heirat eine ganz tolle Idee war. Er würde davon sprechen, daß sie damit ganz besondere menschliche Qualitäten bewiesen hätte. In dem Zusammenhang konnte er ihr dann seine Liebe gestehen. Er suchte nur noch die passenden Worte. Es durfte nicht so kitschig klingen.
Bodo würde dann bald wieder zur See fahren. Außerdem hatte der schnell an jedem Finger eine andere. Das könnte Elke die Trennung erleichtern.

27

Elke und Bodo gingen engumschlungen durch den Park. Ihre Haltung war zwar nicht bequem, aber sie waren verliebt, und da war die Körpernähe wichtiger. Alle hundert Schritte blieben sie stehen und knutschten. Schließlich nötigte sie ihm das Versprechen ab, ihre türkischen Freunde nie mehr Kanaken zu nennen. Er schwor das hoch und heilig. Versicherte, nie etwas gegen Türken oder Kurden oder andere Ausländer gehabt zu haben. Schließlich seien sie im Mittelmeer Waffengefährten. Dann lenkte er das Gespräch auf die Liebe im Allgemeinen und die Treue im Besonderen. Er fragte sanft nach, was sie grundsätzlich vom Heiraten halten würde. Nur so – grundsätzlich.

Sie hielt recht wenig davon. Bezeichnete die Ehe als historisch überholt. Wollte lieber in freier Verbindung zu einem Mann leben. Kriegte einen Horror bei dem Gedanken, ein Kind zu bekommen, und fand Verlobungen albern.

Er hielt ihre Aussagen für pubertären Unsinn, sagte das aber nicht.

Mit sirupsüßer Stimme machte er ihr Komplimente, von denen er wußte, daß sie bei ihr bestens ankamen. Er lobte ihre Intelligenz, ihre fortschrittlichen Ideen in bezug auf die Ehe und ihre Art, beim Küssen mit der Zunge zu flattern.

28

Die erwarteten Telefonanrufe von ungerecht behandelten Asylanten blieben aus. Welcher Asylant las schon die Lokalzeitung? Meist wurden die Betroffenen doch abgeschoben, bevor sie richtig Deutsch lernten.
Harald war verschlossen. In sich gekehrt. Trug ein vorwurfsvolles Gesicht. Eva bemühte sich, einen Zugang zu ihm zu finden, doch er verkroch sich in sein Arbeitszimmer, brummte etwas von Streß und Kopfschmerzen.
Erst gegen Abend kam Elke zurück mit Mahmut. Auch sie sah mitgenommen aus. Nachdem sie mit Bodo ausgegangen war, traf sie Mahmut in dessen Wohnung. Gemeinsam besuchten sie seinen Hausherrn, denn er mußte ihre Anmeldung in der Wohnung unterschreiben. Doch der Hausherr weigerte sich. Die Wohnung sei zu klein. Außerdem hätte er sie nur an eine Person vermietet und nicht an zwei. Jetzt stand Mahmut betreten im Wohnzimmer und wartete darauf, daß ihm jemand einen Platz anbot. Er spürte, daß er mit seinen Problemen die Familie Stobbe langsam überlastete. Er trat von einem Fuß auf den anderen und hörte Elke sagen: «Mutti, Mahmut wird sich hier anmelden müssen. Sonst kriegen wir das nicht klar. Sein Hausherr spielt nicht mit. Und wir brauchen eine offizielle gemeinsame Wohnung.»
Eva wollte gerade sagen: «Da mußt du aber erst Vati fragen», als sich die Tür seines Arbeitszimmers öffnete und er mit dem Zeigefinger drohend im Rahmen stand.

Seine aggressive Haltung erschreckte Eva.
Seine Lippen waren blutleer. Er schrie: «Das war nicht fair, Mahmut! Wir haben so viel für dich und deine Freunde getan, aber das war nicht fair!»
Mahmut wirkte völlig hilflos. Er wußte überhaupt nicht, was Harald von ihm wollte.
«Warum du so böse?»
«Du weißt genau – warum! Ihr habt ohne mein Wissen eine Pressekonferenz gegeben. Ihr habt meinen Namen und meine Adresse in die Zeitung setzen lassen. Das war nicht mit mir abgesprochen!»
Jetzt wurde seine Stimme ruhiger. Die erste Wut war weg. Mahmuts Antwort ließ sie gleich wieder aufflammen. «War doch abgesprochen. Hier wir gesessen. Alles geredet, wie wir an Namen kommen und Informationen. Du bester Kontaktmensch für so etwas. Du seriös. Oder du jetzt nix mehr helfen kurdische Leute?»
Eva wollte nur zu gerne schlichten. Doch ihr fiel nichts Passendes ein. Sie verstand zwar, daß alles nur ein Mißverständnis war durch die Sprachschwierigkeiten, doch wie sollte sie sich verständlich machen?
«Ich helfe euch gerne! Das habe ich ja wohl bewiesen, aber zwischen Hilfe, Solidarität und Totalidentifikation ist ja wohl ein Unterschied! Ich habe auch Probleme. Das wird doch noch gestattet sein?»
Mahmut verstand das Wort Totalidentifikation nicht. Aber er fühlte sich von Harald Stobbe hinausgeschmissen. Abgewiesen. Er verstand den Grund nicht. Doch er wollte jetzt gehen. Elke hielt ihn fest.
«Halt. Pa, hör jetzt mal auf mit dem Scheiß. Und brüll nicht so rum. Mahmut muß sich hier anmelden, weil...»
«Oh nein!» fauchte Harald. «Alles hat seine Grenzen.»

«Hör mir doch zu. Er soll nicht hier wohnen. Er soll nur offiziell . . .»
«Oh nein! Ich habe eine Baugenehmigung für ein Einfamilienhaus bekommen. Nicht für ein Zweifamilienhaus. Und ein Ehepaar ist eine Familie. Soll ich hier etwa ausziehen? Ich wohne ja sowieso kaum noch hier. Wenn er sich offiziell hier anmeldet, wer weiß, welche Konsequenzen das hat? Wenn er hier wohnt, dann muß er auch Miete bezahlen – zumindest offiziell – und dann muß ich ans Finanzamt Geld für Einnahmen berappen, die ich gar nicht habe!»
Elke fand die Reaktion ihres Vaters überzogen und dumm. Mahmut aber fühlte sich tief beleidigt und verstoßen.
Eva wollte wieder Ruhe und Harmonie herstellen. Für sie war es ungeheuer wichtig, daß sich jetzt erstmal alle setzten. Sie würde Kaffee und Tee brühen, und dann würde alles schon in Ordnung kommen.
Doch Mahmut wölbte stolz seine Brust: «Bin ich eine Hund? Muß ich zu dir gekrochen kommen? Ich verstehe, du willst mir nicht helfen mehr. Nix Völkerfreundschaft. Du nur Angst um Geld und guten Ruf. Ich gehe. Mahmut kann hier nicht bleiben.»
«Fang bloß nicht so an», sagte Elke, die den Ernst der Lage verkannte. Mahmut rannte zur Tür. Dort blickte er sich noch einmal um. Elke zeigte ihm doof, doch nicht, um ihn zu beleidigen, sondern um die Situation zu entspannen.
«Komm. Setz dich wieder!»
Aber da war er schon draußen.
Eingeschnappt ließ Elke sich in einen Ledersessel fallen und sah ihren Vater vorwurfsvoll an. Der zuckte resi-

gnierend mit den Schultern und sagte: «Mich versteht ja sowieso keiner.»
Eva atmete einmal tief durch und seufzte dann: «Also, ich brauch' jetzt erst mal einen Schnaps.»
Keiner hatte die Kraft, sich wirklich auf den anderen einzustellen. Sie befanden sich alle in einem Raum, doch die Entfernung zwischen ihnen war körperlich spürbar. Harald nahm wahllos eine Kassette und warf sie ins Videogerät. Dann legte er sich lang auf das Sofa und starrte – ein Kopfkissen unter den Kopf geknubbelt – auf den Bildschirm. Er bekam nicht wirklich mit, was da über die Mattscheibe flimmerte. Er benutzte das Gerät, um sich abzuschirmen, so wie man einen Schirm gegen Regen aufspannt. Es schützte ihn vor Gesprächen. Vor Blicken, die erwidert werden mußten. Vor Fragen, auf die er keine Antworten geben konnte. Vor dem Zwang, Stellung zu beziehen.
Eva respektierte die Autorität des Kastens. Wer davor saß, der wollte nicht gestört werden. Sie hatte ein paar dringende Fragen, aber sie belästigte ihren Mann jetzt nicht damit. Was sollte mit dem Brief des Oberstadtdirektors geschehen? Sollten sie ihm die Namen der Zeugen nennen? Schließlich hatten sie auf Haralds Ratschlag die geplante Demonstration verschoben, um abzuwarten, ob der Oberstadtdirektor die Sache selbst klären würde. Jetzt durfte diese Möglichkeit nicht verschlampt werden. Sie fühlte sich dafür verantwortlich, alles so zügig wie möglich abzuwickeln. Einer mußte in diesem Chaos aus Gefühlen, Verordnungen, Gesetzen, Bespitzelungen, Mißtrauen und Ängsten den Überblick bewahren.
Sie entschloß sich, dem Oberstadtdirektor die Namen der vierzehn kurdischen und türkischen Zeugen mitzuteilen.

Außerdem war sie selbst noch Zeuge. Der Oberstadtdirektor sollte eine faire Chance bekommen. Es wäre für alle die beste Lösung, wenn er kraft seines Amtes die Ausländerbehörde zurechtweisen würde. Dann käme ihr Weltbild wieder einigermaßen ins Gleichgewicht. Sie wünschte sich, daß der Oberstadtdirektor ein gerechter und weiser Mann war. Sie wollte nicht in einer Welt leben, in der nur Schweine Karriere machten. Doch in ihren Wunsch mischte sich wieder das Mißtrauen. Was, wenn er nur die Namen der aufsässigen Asylanten wollte? Was, wenn der gerechte Oberstadtdirektor nur Wunschdenken war?

Trotzdem – im Moment hatten sie keine andere Chance. Auch bei einer Demonstration würden alle Namen und Gesichter bekannt werden. Vielleicht gab es eine Möglichkeit, um diese Demonstration herumzukommen...

Da Harald vor dem Fernseher lag, ging sie in sein Arbeitszimmer und setzte sich an seine Schreibmaschine. Natürlich hätte sie Elke bitten können, den Brief zu tippen, aber es war plötzlich wichtig für sie, das selbst zu tun.

Harald stellte keine Fragen, als sie in sein Arbeitszimmer ging. Er war froh, in Ruhe gelassen zu werden.

Clint Eastwood lud mehrere Gewehre durch und legte sie schußbereit neben sich. Er überprüfte den Colt. Das Magazin ließ sich leicht drehen. Er grinste zufrieden. Der große Shootdown konnte beginnen.

Im Film waren die Probleme so leicht zu klären. Mann gegen Mann. Wer übrig blieb, hatte nicht nur gewonnen, sondern auch recht. Harald wußte, daß die Welt nicht so war. Wußte, daß man Probleme nicht so lösen konnte. Doch er genoß es, für kurze Zeit in die Welt der harten Männer und leichten Mädchen flüchten zu können. Da

Elke solche Knallereien nicht ausstehen konnte, befreite Clint Eastwood mit seinem Colt ihn auch von ihrer Anwesenheit.
Jetzt hatte er das Wohnzimmer ganz für sich. Clint legte auf seinen Gegner an. Schon hatte er ihn unentrinnbar im Visier. Harald legte sich zurück und verschränkte die Hände hinter dem Kopf.
Elke setzte sich in ihrem Zimmer vor den Spiegel und kämmte sich die langen Haare mit einer Bürste. So etwas konnte sie stundenlang tun. Dabei ließ sie ihren Gedanken freien Lauf. Michael händeringend mit roten Ohren. Die Blicke ihrer Mitschülerinnen auf Bodo. Mahmuts Unsicherheit, als der Hausherr ihre Anmeldung für das Einwohnermeldeamt nicht unterschreiben wollte. Bodos Hände auf ihrer Haut. Die beiden Beamten vor der Tür. Mahmut beim ersten Besuch in der elterlichen Wohnung. Die allgemeine Unsicherheit beim Essen. Wie Mutter sich rausgeputzt hatte! Vaters hängende Schultern. Seine umständliche Art, um ihr Verständnis zu bitten.
Eva zerknüllte schon das dritte Papier. Die Arbeit fiel ihr schwer. Sie konnte sich kaum daran erinnern, wann sie mal eine Schreibmaschine benutzt hatte. Auch in der Rechtschreibung fehlte es ihr an Sicherheit. Die Namen abzutippen war eine echte Plage für sie. Jeden Buchstaben mußte sie erneut suchen. Warum waren die Buchstaben nicht alphabetisch angeordnet? Sie versuchte, ein System in der Anordnung der Buchstaben zu finden. Es mußte eine Logik dahinter stecken. Mußte?
Sie stellte fest, das in der obersten Zeile das Wort WERT und das Wörtchen ZU hintereinander angeordnet waren. Was sollte das? Sie gab es auf, einen Sinn darin zu suchen. Sie tippte den Brief so fehlerlos und sauber wie möglich.

Dann fluchte sie leise. Sie hatte vergessen, einen Durchschlag zu machen.
Sie legte Elke den Brief vor und bat sie, ihn auf Fehler zu überprüfen.
Clint Eastwood legte seinen zwölften Gegner um.
Vielleicht merkt man daran, daß man erwachsen geworden ist, dachte Elke, wenn die Eltern, die einem früher bei den Schularbeiten geholfen haben, jetzt selbst um Hilfe bitten. Sie sah den Brief gerne nach und entdeckte keinen Fehler. Es fiel ihr aber auf, daß ihre Mutter den Brief nur mit Stobbe unterschrieben hatte. Ihr Vorname fehlte. Es ging nicht aus dem Brief hervor, ob er von Herrn oder Frau Stobbe geschrieben worden war. Versuchte sie vorzutäuschen, Harald hätte den Brief geschrieben? Wollte sie sich aus der Verantwortung stehlen? Oder glaubte sie, der Brief einer Frau hätte weniger Gewicht?
Elke zögerte. Sollte sie ihre Mutter fragen? Aber was war schon dabei, wenn sie sich hinter ihrem Mann versteckte? Hatte sie das nicht zeitlebens getan? Elke wollte ihrer Mutter nicht weh tun. Sie sagte nur: «Hast du toll gemacht. Ich wußte gar nicht, daß du mit der Maschine schreiben kannst.»
«Kann ich auch nicht», lachte Eva. «Alles nach dem Kolumbussystem. Jeder Buchstabe eine neue Entdekkung.»
Elke lachte über den Scherz, obwohl er alt war und sie ihn schon zigmal gehört hatte.
Sie wollte ihre Mutter jetzt gern in den Arm nehmen und drücken. Sie wollte ihr etwas Nettes sagen. Ihr Gesicht streicheln. Ihre Wangen küssen. Doch sie blieb nur ruhig sitzen und kämmte sich die Haare.

29

Ungläubig las er den Brief ein zweites Mal.

WEISST DU EIGENTLICH, DASS DEINE MIEZE VERHEIRATET IST? MIT EINEM KÜMMELTÜRKEN?

Zunächst glaubte er an einen Scherz, dann nahm er an, daß irgendeine Verflossene von ihm jetzt einen Türken geheiratet hatte. Vermutlich nahm der Briefschreiber an, diese Tatsache würde ihn ärgern, aber es war ihm egal, mit wem seine Ehemaligen gingen. Er knüllte den Zettel zusammen und warf ihn achtlos in den Aschenbecher. Er konnte zwischen der Bezeichnung Mieze und Elke keine Beziehung herstellen. Erst als er unter der Dusche stand und ihm die Szene vor der Imbißbude wieder einfiel, dachte er darüber nach, ob Elke wohl mit einem Türken ...

Aber Unsinn – selbst wenn einer von den Türken ihr Freund war oder auch ihr ehemaliger Geliebter – verheiratet war sie garantiert nicht. Schließlich mußte seine Schwester Marianne das wissen. Sie gingen doch in eine Klasse.

Die Haare tropften noch naß auf seinen Schultern, als er zum Telefon ging. Es konnte etwas dran sein an der Sache. Sie hatte so merkwürdig mit diesem Türken geflüstert und ihm hinterher das Versprechen abgenötigt, nicht mehr abfällig über Türken oder Kurden zu reden. Das war ihr offenbar sehr wichtig. Er rief seinen alten

Schulfreund Winfried Heinen an. Er nannte ihn «Winnie» am Telefon, verlor ein paar scherzhaft schwärmerische Sätze über die gemeinsame Zeit und fragte dann: «Sag mal, Winnie, ich glaube, eine Verflossene von mir hat einen Türken geheiratet. Wie kann ich das herausbekommen. Ich möchte gerne gratulieren, weiß aber nicht, ob es stimmt.»
«Ja, wenn es mehr nicht ist! Also, du kannst den Henrie beim Einwohnermeldeamt anrufen und ihm schöne Grüße von mir bestellen – oder ach was, wenn es um einen Türken geht, dann weiß Kaltie Bescheid. Ruf den an. Ausländerbehörde. Schöne Grüße von Winnie. Du mußt Herrn Kaltenbach verlangen. Der ist hier so eine Art Wunderknabe. Der große Saubermann. Er hat irgendwelche Sonderaufgaben. Hat was mit Asylantenabschiebung zu tun oder so – aber das ist ja auch egal. Also – ich muß jetzt – Dienst ist Dienst und Schnaps ist Schnaps – naja – du weißt schon – war nett, dich mal wieder ... komm doch ruhig abends mal bei mir vorbei –»
Kaltenbach zeigte sich zunächst abgeneigt. Er war ein Fuchs, und er wußte, daß ihm ein paar ausgeflippte Deutsche und ein Haufen Asylanten auf die Finger guckten. Vielleicht sollte er mit diesem Anruf reingelegt werden. Die Auskunft verstieß möglicherweise gegen irgendwelche Datenschutzgesetze. Aber als er den Namen Winnie hörte, wurde er gesprächiger. Er fragte nach dem Grund der Anfrage. Schnell kam er dahinter, daß Elkes eifersüchtiger Freund etwas witterte. Die Sache kam ihm sehr gelegen. Über den Vater war nichts zu machen. Aber vielleicht über ihren Freund. Auf jeden Fall hatte sie ihren Freund nicht über ihre Ehe informiert. Der Verdacht einer Scheinehe lag bei Asylanten immer nahe, aber wenn

die Sache so lag, war es ein Leichtes, die Geschichte zu beweisen. Er durfte jetzt nur keinen Fehler machen. Er hatte ein persönliches Interesse an Mahmuts Abschiebung. Schließlich hatte sein Schwiegervater gegen ihn eine Dienstaufsichtsbeschwerde losgelassen. Seine Schwiegermutter hatte auf dem Amt Ärger gemacht. Er vermutete, daß es sich um eine Kommunistenfamilie handelte. Aber die würden schon sehen, wer am längeren Hebel saß.

«Also, die Sache ist recht delikat. Ich glaube, Ihre Freundin ist da in eine böse Geschichte verstrickt. Wenn Sie ihr helfen wollen, dann kommen Sie doch heute abend ins ‹Walk in›. Ich sitze an der Theke. Wir können dann ungestört reden. Das ist wohl besser als so am Telefon . . .»

Bodo ging hin.

30

Untergehakt gingen Eva und Harald durch den abendlichen Park. Ihre Schritte knirschten auf dem Kies. Das Geräusch tat ihnen gut. Von hier aus konnte man auch den Teich hören. Ja, man konnte ihn hören! Das ferne Sausen von Autos störte hier nicht mehr. Es drang nicht ein in diese künstlich angelegte Welt aus Rasen, Bäumen und Wasser.
«Seit diese leidige Geschichte läuft, haben wir nicht mehr Schach gespielt . . .», sagte Eva und ließ den Satz ausklingen, als ob ihm mehr folgen müßte.
Harald gab ihr Zeit, mehr zu sagen. Als sie aber schwieg, konstatierte er: «Ich habe mich kaum noch zu Hause gefühlt – bei uns –, immer diese vielen Menschen. Ständig forderte irgendwer Aufmerksamkeit von mir. Ich bin schon zu alt für solche Sachen. In der Schule, da habe ich Streß genug. Unser Haus muß ein Ruhepunkt für mich sein.»
«Das war es doch bisher. Eine Höhle, in die wir uns verkrochen haben. Sauber, gemütlich, still. Aber ich habe manchmal die Abwechslung vermißt. Wenn du entnervt aus der Schule kamst und dich für deine Nachhilfeschüler ausruhen mußtest, dann habe ich mich manchmal ganz schön leer und vernachlässigt gefühlt.»
Es begann zu nieseln. Ohne ein Wort der Verständigung entschieden sie, daß der Regen kein Grund war, den Park zu verlassen. Er hüllte ihre zurückgewonnene Zweisam-

keit ein. Sie näherten sich mit großen Schritten, doch ohne Eile den Bäumen am Teich. Die Bäume schützten vorübergehend vor dem Regen, und das Geräusch der Tropfen auf den Blättern empfanden beide als angenehm.

Eng aneinandergelehnt – mit hochgeklappten Mantelkragen – standen sie da und sahen auf die Wasseroberfläche. Der Regen gab dem Teich Pockennarben, die sich überall zu Ringen ausbreiteten. Von Nieselregen konnte jetzt keine Rede mehr sein. Die dicken Tropfen fielen fast senkrecht und kräuselten das Wasser.

Sie standen lange so und hingen ihren Gedanken nach. Jeder spürte, daß der andere ihn sehr lieb hatte, und beide wußten, daß sie mit Elke reden mußten. Ihre alte familiäre Gemeinsamkeit mußte wieder hergestellt werden. Gesäubert werden von all dem Schmutz der Umwelt. Sie wollten sich und ihre Beziehungen freihalten von dem politischen Dreck dieser Zeit. Doch sie hatten gelernt, daß dieser Gedanke undurchführbar war. Eine Lüge. Ein Selbstbetrug. Nun mußten sie zusehen, wie sie ohne bleibende Schäden aus der verzwickten Sache herauskommen konnten.

«Am Ende», sagte Eva leise, «am Ende soll kein Sieger überbleiben und kein Verlierer. Wir müssen dafür sorgen, daß am Ende keiner als der Dumme übrig bleibt. Auch Mahmut nicht.»

Es klang salomonisch. Er hörte es gerne. Aber keiner von beiden wußte, wie es in der Praxis aussehen sollte. Allmählich drang der Regen durch ihre Kleidung und lief ihnen im Nacken herunter. Ohne Eile verließen sie den Park. In der Nähe der Straße ließ sie das Geräusch einer hart zugeschlagenen Autotür zusammenzucken.

Elke verbrachte den Abend in ihrem Zimmer über einem Physikbuch. Bodo hatte eine vorgesehene Verabredung telefonisch abgesagt. Es war ihr eigentlich ganz lieb. Sie brauchte auch mal Zeit ganz für sich alleine. Sie las gerne in völliger Ruhe. Selbst Schulbücher. Schon den ganzen Tag über hatte sie versucht, dieses Gedicht zu rekonstruieren. Sie bekam es nicht ganz zusammen. Auch jetzt, beim Auswendiglernen physikalischer Formeln, gerieten immer wieder Zeilen aus dem Gedicht in ihre Gedanken. Plötzlich hatte sie es zusammen. Sie schrieb es auf den Rand des Physikbuches neben ein Experiment, dessen Verlauf sie nicht kapierte.

Leben
einzeln und frei
wie ein Baum
und doch brüderlich
wie ein Wald
das ist unsere Sehnsucht.

Es war von einem türkischen Dichter. Sie hatte es auf einem Plakat in Mahmuts winziger Wohnung gesehen. Sie konnte sich an den Namen des Dichters nicht mehr erinnern. Aber Mahmut hatte ihr erzählt, dieser Mann habe gut zwanzig Jahre seines Lebens im Gefängnis verbracht. Eher mehr als weniger. Angeblich kannte ihn jedes Kind in der Türkei. Elke glaubte das. Wer solche Verse schmieden konnte, den mußte einfach jedes Kind kennen. Sie nahm sich vor, Mahmut nach dem Namen zu fragen.

Sie verließ ihr Zimmer, um ihren Eltern das Gedicht vorzutragen, doch als sie unten war, beschloß sie, nicht zu stören.

Sie saßen wieder wie sonst beim Schachspiel.

Eva redete leise und unterstützte ihre Worte mit einer sanften, gleitenden Handbewegung. Elke verstand nicht, was ihre Mutter sagte. Harald nippte am Wein. Er drehte einen erbeuteten Turm in der Hand.
Irgendwie war Elke froh, ihre Eltern so zu sehen. Alles sah wieder aus wie früher. Still und harmonisch. Nur die nassen Haarspitzen ihrer Eltern irritierten sie etwas. Mutter bemerkte, daß Elke sich im Raum befand. Sie sah sie an und lächelte. Plötzlich wunderte Elke sich darüber, wie jung das Gesicht ihrer Mutter war. Hatte sie das früher nie bemerkt?

31

Es war ein ruhiger Samstagmorgen. Sonnenstrahlen fielen durchs Fenster kegelförmig auf den Frühstückstisch. Winzige Staubpartikelchen wurden sichtbar, die in den Lichtkegeln einen wilden Tanz aufführten.

Eva und Elke saßen sich beim Kaffee gegenüber. Harald konnte noch schlafen. Eva sah unausgeschlafen aus. Sie hatte Ränder unter den Augen, aber einen klaren, festen Blick. Sie wirkte matt, aber durchaus zufrieden auf ihre Tochter.

«Es wird sich einiges ändern müssen», sagte sie.

Elke sah interessiert auf.

«Papi und ich, wir haben gestern noch lange geredet. Papi hat jetzt andere Stunden – alles liegt viel ungünstiger. Er kann einen Teil seiner Nachhilfestunden nicht mehr geben. Und ich glaube, er will das auch gar nicht mehr. Vielleicht werden wir das Haus verkaufen müssen. Es reicht vorne und hinten nicht. Oder ich muß mir eine Arbeit suchen . . . oder . . .»

Sie hatte den Blick gesenkt. Elke begriff, wie weh ihrer Mutter die Erkenntnis tat, daß sie das Haus nicht halten konnten. Dieses Haus war ein Teil ihrer Identität. Ein erkämpftes Stück Sicherheit. Wohlstand. Sie hatten immer so getan, als sei es ihr Haus gewesen, dabei gehörte es doch eigentlich der Bank – von Anfang an. Elke verstand jetzt, warum ihre Mutter so matt und unausge-

schlafen aussah – was sie nicht verstand, war, warum sie gleichzeitig einen ruhigen und zufriedenen Eindruck machte.
Vielleicht, dachte Elke, vielleicht stand das immer als Drohung über ihnen, und jetzt, da sie die Gefahr, das Haus zu verlieren, aussprechen konnten, jetzt haben sie erkannt, daß sie sich trotzdem noch lieben. Vielleicht gibt ihr das diesen zufriedenen Gesichtsausdruck.
«Vielleicht», sagte Elke, «kann ich Papis Nachhilfeschüler übernehmen. Ich könnte ja auch was zu unserem Lebensunterhalt beitragen.»
«Alt genug bist du ja ...» Eva erschrak ein wenig über ihre Worte. Sie wollte Elke nicht verletzen.
Elke nickte und zog eine Schnute. Ihr war bewußt, daß sie sehr privilegiert aufwuchs. Ohne materielle Sorgen. Ohne den Zwang, Geld verdienen zu müssen. Mit eigenem Zimmer. Mit eigenem Fernseher. Mit großzügigen Eltern.
«Das Haus bedeutet dir doch so viel, Mutti ...»
Sie zuckte mit den Schultern. «Ach, weißt du, Vati und ich – ich meine – für uns beide ist es eigentlich zu groß. Zu aufwendig. Und uns ist in den letzten Tagen klargeworden, daß du ja nicht mehr ewig hier wohnen wirst. Du bist flügge – wie man so schön sagt. Es ist nur noch eine Frage der Zeit, wann du ... wann du ausziehen wirst ... um zu heiraten – ich meine, ernsthaft – oder irgendwo zu studieren oder ...»
«Ich habe nicht vor abzuhauen.»
«Aber du wirst auch nicht ewig bleiben. Du wirst irgendwann aus dem Haus gehen, aber Vati und ich, wir gehören zusammen.»
Elke spürte die Traurigkeit und die Freude gleichzeitig

in den Worten. Sie wußte diese Aussage nicht einzuordnen. War es der Beginn einer Abkehr von der Tochter, um nicht den Schmerz zu haben, wenn sie von sich aus den Schritt vollziehen wollte, oder war es die Hinwendung zum Vater? Die Erkenntnis, daß sich ihre Liebe im Laufe der Jahre und des Alltags nicht verschlissen hatte? War es das, was Eva ein so jugendliches und zufriedenes Aussehen gab? Sie hatte etwas wiedergefunden, was sie verloren glaubte.

Fast beneidete Elke ihre Mutter um dieses Glück.

Mahmut meldete sich den ganzen Tag nicht. Einmal dachte Elke kurz an ihn. Ob er das Anmeldeproblem gelöst hatte? Es war ihr inzwischen fast gleichgültig geworden. Sie konnte sich nicht immer um ihn kümmern. Er war nicht ihr Kind. Sie hatte ihn geheiratet, um ihn vor der Abschiebung zu retten. Jetzt sollte er sehen, wie er klarkam. Von einer lebenslangen Betreuung war nicht die Rede gewesen.

«Ich spiel' doch nicht deine Sozialarbeiterin», sagte sie leise. Aber sie befand sich alleine in ihrem Zimmer. Zum Glück, denn jetzt schämte sie sich ein bißchen für ihre Gedanken. Für die aufkommende Gleichgültigkeit, die ihr Angst machte.

Bodo rief an und lud sie zum Essen ins Steakhaus ein. So eine noble Einladung schlug sie natürlich nicht aus. Sie brauchte knapp zwanzig Minuten, um sich zurechtzumachen. Sie war früher da als Bodo. Sie setzte sich in eine Ecke, von der aus sie das ganze Lokal überblicken konnte, und bestellte sich ein Altbier.

Bodo kam. Fröhlich, benahm sich fast distanziert höflich. Etwas stimmte nicht mit ihm. Er war aufgeregt. Wollte er ihr heute seine brennende Liebe gestehen?

«Was ist los?» fragte sie. »Du wirkst so aufgeräumt. Ist was?»
Er schüttelte den Kopf. «Nein, gar nichts. Wirklich. Überhaupt nichts.»
Diese heftige Verneinung bestätigte nur ihren Verdacht. Sie wartete auf eine angenehme Überraschung. Sie wurde selbst ganz aufgeregt.
Bodo sah auf die Uhr und meldete sich dann kurz ab. «Ich muß zur Toilette. Du kannst ja schon für uns aussuchen.»
Er beeilte sich. Kaum war er hinter der Tür mit der Aufschrift oo verschwunden, trat ein anderer Mann an ihren Tisch und fragte freundlich: «Verzeihung, sind Sie Elke Stobbe? Ich meine, die ehemalige Elke Stobbe – jetzt heißen Sie ja wohl anders ...»
Nein, dachte Elke, nein! Nur das nicht. So soll Bodo es nicht erfahren. Ich werde es ihm sagen. Noch heute. Gleich. Sofort. Aber er soll es von mir erfahren. Ich muß den Typen loswerden.
«Verschwinden Sie!» zischte Elke. «Ich kenne Sie gar nicht!»
«Sie werden sich bestimmt nicht mehr an mich erinnern. Ich stand neulich abends vor ihrer Tür und wollte ...»
«Sie sind von der Ausländerpolizei! Woher wußten Sie, daß ich hier bin?»
Er grinste breit.
«Sie werden lachen. Dies ist mein Lieblingsrestaurant. Ich bin nicht dienstlich hier. Ich wollte eigentlich nur ein Steak ...»
Elke wußte nicht, wie sie ihn loswerden sollte. Bodo kam schon auf den Tisch zu.
Schnell legte sie sich einen Satz zurecht. Sie würde Bodo jetzt einfach bitten, sie in ein anderes Lokal zu bringen.

Gleichzeitig würde sie aufstehen und zur Tür drängen. So konnte sie vielleicht verhindern, daß Bodo durch diesen Typ erfahren würde ...
Dann sah sie verblüfft, wie Bodo und der Typ von der Ausländerpolizei sich wie alte Bekannte begrüßten. Bodo stellte vor: «Das ist mein alter Mannschaftskollege Gert Klein. Wir haben ein paar Jahre zusammen Fußball gespielt.»
Dann versicherte Bodo, daß Gert überhaupt nicht stören würde.
Gert schob sich schon an den Tisch, bestellte sich ein Bier und wollte unbedingt eine Runde Schnaps ausgeben. Elke brauchte eine Weile, bis sie sich von dem Schock erholt hatte. Langsam schöpfte sie Hoffnung. Gert Klein schien kein Interesse daran zu haben, sie bei Bodo zu verpetzen. Aber woher wußte er überhaupt, daß Bodo nichts wußte? Egal. Jedenfalls schnitt er das Thema nicht an, und sie spendete ihm dafür mehrmals einen dankbaren Augenaufschlag. Ob er das richtig verstand, oder glaubte er jetzt, daß sie ihn anmachen wollte?
Die Steaks kamen, 180 Gramm schwer und 27 Mark teuer. Die Beilagen, Brot und Möhrensalat, mußten extra bezahlt werden. Sie hatte es auf der Speisekarte gesehen. Jedes Essen kostete also mehr als 30 Mark. Dazu die Getränke.
Sie aßen schweigend und gierig. Die Steaks kamen vom Holzkohlengrill und waren medium gegrillt. Innen noch recht blutig.
Nach dem Essen bestellte Gert noch eine Runde Weinbrand. Elke spürte bereits den Alkohol. Sie rechnete nach: ein großes Bier vor dem Essen und einen Schnaps. Ein großes Bier beim Essen. Einen Weinbrand hinterher

und noch ein großes Bier. Gert teilte Zigaretten aus und lehnte sich dann vertrauensvoll über den Tisch. Sie steckten die Köpfe näher zusammen. Elke rechnete mit einem nicht ganz sauberen Witz, den die anderen Gäste des Lokals nicht hören sollten.
«Also, weil wir alte Kumpels sind. Sonst ginge es mich ja nichts an, aber deine Freundin steckt bis zum Hals in Schwierigkeiten. Ich helfe euch gern. Es gibt da Möglichkeiten. Man könnte zum Beispiel . . .»
Bodo spielte den Erstaunten.
«In was für Schwierigkeiten steckt Elke?»
«Eine dumme Geschichte. Sag bloß, du weißt nichts davon. Hast du ihm etwa nichts erzählt, Elke?»
Bodo ließ seine offene Hand ungeduldig auf den Tisch klatschen. «Also, was ist hier los? Was für eine dumme Geschichte?»
«Na, die Hochzeit!»
«Hochzeit? Was für eine Hochzeit?»
Jetzt war es raus. Unbeweglich saß Elke auf ihrem Stuhl. Das Geschehen lief vor ihr ab wie ein Breitwandfilm in Zeitlupe. Die Worte quälten sich nur langsam, honigschwer an ihr Ohr. Von dort in das Bewußtsein gelangten nur noch zusammenhanglose Silben. Gerts Augen wurden immer größer. Bodos Mund öffnete sich wie das Maul eines nach Luft schnappenden Karpfens.
Unablässig spielte Elke mit ihren langen Haaren. Kräuselte sie um die Finger und zog sie wieder glatt. Sie war zu nichts anderem in der Lage.
Worte erreichten sie, brachten ihr Inneres zum Schwingen wie gezupfte Saiten eines Cellos.
«Scheinehe», «geltendes Recht», «Einwohnermeldeamt», «strafbar», «nicht länger zu verheimlichen»,

«dumm für Elke».
Bodos Gesicht war ganz nah vor ihrem. Er rüttelte sie. Versuchte, sie aus ihrer Trance zu erwecken.
«Sag mir, daß es nicht stimmt. Du bist nicht verheiratet. Nicht wirklich. Sag es doch.» Er war kurz davor zu heulen. Sie konnte sich vorstellen, daß es ein Schock für ihn war. Sie wollte ihm helfen, aber ihre Zunge war unglaublich klebrig.
«Reiß dich zusammen. Sag mir, ob da was dran ist. Liebst du ihn?»
Sie schüttelte den Kopf.
Sie konnte wieder regelmäßiger atmen und bekam ihre Stimme unter Kontrolle.
«Nein, Bodo. Ich mag dich. Das weißt du doch. Ich habe ihn nur geheiratet, weil er sonst abgeschoben worden wäre. Er hat mir gesagt, daß in der Türkei der Tod auf ihn wartet. Ich konnte ihn doch nicht ... du mußt das verstehen. Außerdem kannte ich dich noch gar nicht. Und er ist wirklich ein netter Kerl. Du wirst ihn auch mögen. Wir haben nichts miteinander gehabt. Das wirst du mir doch abnehmen, oder nicht?»
Bodo nickte, nahm sie verständnisvoll in den Arm und beruhigte sie erstmal.
«Es wird sich schon alles finden. Ist halb so schlimm. Halb so schlimm.»
Elke trank noch ein großes Bier, dann ging es ihr tatsächlich besser. Gert fragte väterlich nach, wieviel Mahmut für die Ehe bezahlt habe. Elke wies das empört von sich. Natürlich habe sie kein Geld genommen. Gert verzog die Mundwinkel. Das sei aber dumm von ihr gewesen, meinte er.
«Warum?»

«Na, wenn du zum Beispiel studieren willst, dann beantragst du doch so eine Förderung – BAFÖG – wie willst du das denn als verheiratete Frau kriegen? Da rechnen die das Gehalt von deinem Mann mit an. Der lackiert Autos, wenn mich nicht alles täuscht. Was wird der verdienen? Vielleicht tausendvierhundert. Da kriegst du keinen Pfennig BAFÖG. Zahlt der dir dann das Studium oder was? Habt ihr eine schriftliche Vereinbarung?»
Wieder keimte Mißtrauen in ihr auf. Warum wollte der das wissen? War das alles nur ein Trick, um Mahmut loszuwerden? Wie kam sie darauf, diesem Typen von der Ausländerpolizei zu trauen? Er war Bodos Kumpel, na gut. Das war ein Pluspunkt. Aber war sie jetzt nicht zu redselig? Sie hatte die Sache mit der Scheinehe in seinem Beisein gestanden. Konnte er das gegen sie verwenden?
Er schien ihre Gedanken zu ahnen, denn er sagte: «Also, wenn du nicht Bodos Freundin wärest, könnte mir die Sache ja wirklich egal sein, aber so. Ich will dir mal was sagen: Ich glaube, daß dich dieser Mahmut ganz schön über den Leisten gezogen hat.» Er schlug sich mit der flachen Hand gegen die Stirn. «Nicht zu fassen. Sie hat alles umsonst gemacht! Der hat dich nicht auf die Folgen für dich aufmerksam gemacht. Das ist die Höhe. Und wenn der hier genug Geld verdient hat, dann haut er ab in die Türkei, gründet da mit dem Geld ein Geschäft und lacht sich kaputt. Und du sitzt dann hier als verheiratete Frau und kannst zusehen, wie du die Ehe wieder los wirst. Das kann Jahre dauern und kostet ein Schweinegeld. Einen Anwalt hier. Einen Korrespondenzanwalt in der Türkei. Bis die sich klar darüber werden, wo die Scheidung stattfinden soll, bist du schon eine alte Frau.»
«Ja, und Elke, ich dachte, wir könnten auch mal – ich

meine, noch nicht sofort – aber später mal – also, wenn schon nicht heiraten, dann doch wenigstens Kinder – oder nicht. Sie könnten unsere gemeinsamen Namen haben – aber ich möchte es den Kindern nicht zumuten, einen türkischen Namen zu tragen. Das werfen sie einem später ein Leben lang vor.» Bodo sah Gert an. In seinem Blick lag die Frage: Hoffentlich habe ich jetzt nicht überzogen?

In Elkes Kopf begann alles zu trudeln. Das Gerede kam ihr vor wie die Flut am Meer. Immer höher und schneller jagten die Wellen, schlugen über ihren Kopf, hoben sie hoch und drückten sie nieder. Sie schluckte Wasser, sah das Ufer nicht mehr und spürte, wie Arme und Beine immer schwerer wurden.

Endlich warf ihr Gert einen Rettungsring zu. Er stand mit Bodo sicher auf einem Linienschiff. Gemeinsam hielten sie die Rettungsleine und riefen: «Pack den Ring! Halt dich ganz fest! Keine Sorge, wir ziehen dich schon raus! Auf unserem Schiff bist du sicher. Nun pack schon den Ring!» Sie zögerte noch. Da sprang Bodo hinein, um ihr den Ring zu bringen.

«Man kann das alles klären. Es geht Mahmut doch nur darum, sich hier aufhalten zu können – aus welchen Gründen auch immer. Nun – die Verwaltung kann zwar nicht über sein Asylverfahren entscheiden, wohl aber über eine unbefristete Duldung. Er muß ja nicht als Asylant hierbleiben. Eine Duldung zu erreichen ist nicht schwer. Das würde ich für euch beide tun. Im Gegenzug dafür könntet ihr die Ehe zur Scheinehe erklären lassen. Zum Witz. Es war eben alles ein Mißverständnis. Dann bist du ihn als Klotz am Bein los, und er hat auch, was er will.»

Gerts Worte klangen einleuchtend. Bodo faßte ihn freundschaftlich am Arm: «Das würdest du wirklich für uns tun?»
Gert nickte großzügig. Bodo atmete auf und bestellte noch eine Runde.
«Drei Bier und drei Weinbrand bitte.»
Sie versicherten sich gegenseitig, daß nichts über alte Kumpels ginge. Langsam drang diese Lösung in Elkes Bewußtsein. Dann gab es keine Probleme mehr mit dem Einwohnermeldeamt. Mit Vaters Steuererklärung. Vergessen die Angst, in der Schule könnte einer was merken.
Sie ließ sich das mit der Duldung noch einmal in Ruhe erklären. Sie erfuhr, daß die örtlichen Verwaltungen da völlig autonom handeln konnten. Sie durften angeblich Duldungen geben, wem sie wollten und solange sie wollten. Das lag völlig in ihrem Ermessen, und Gert Klein sicherte zu, ihr diesen Gefallen zu tun. Schließlich wollte er nicht dem Glück eines alten Kumpels im Weg stehen. Aber sie durften beide über die Sache nicht reden, sonst sähe alles nach privater Kungelei aus. Nach Vetternwirtschaft. Er wollte da nicht in Verdacht geraten. Und es war auch im Interesse von Mahmut und Elke, alles so lautlos wie möglich über die Bühne gehen zu lassen. Er schlug vor, deswegen erst gar nicht die Verwaltung aufzusuchen. «Nur nicht zu viel Wind machen.» Er zwinkerte Elke zu. «Keine Angst. Ich mach' das schon.»

32

Gemeinsam fuhren sie zu Mahmut. Das heißt, sie schleppten Elke mehr oder weniger mit. Sie war noch ganz benommen, wog das Für und Wider ab. Fand das Angebot von Gert ungeheuer großzügig. Dachte über Bodos Worte nach.

Mahmut machte einen zerknirschten Eindruck. Die Probleme, die sich vor ihm auftürmten, schienen nicht lösbar. Er mußte eine gemeinsame Wohnung mit Elke aufweisen. Von ihrem Vater fühlte er sich schlecht behandelt und beleidigt. Auch Elke war nicht mehr wie früher. Dann hatte er ein Telegramm aus der Türkei bekommen. Sein Vater lag im Sterben. Vielleicht stimmte es. Aber es war auch ein gern angewendeter Trick der Behörden, mit solchen Telegrammen die in der Heimat gesuchten Söhne zurückzulocken. Anrufen konnte er seinen Vater nicht. Ein Brief dauerte vielleicht zu lange. Den Telegrammen war nicht zu trauen. Sie hatten keine Handschrift und keine eigene Stimme.

Als er den Vorschlag hörte, war er begeistert. Ein großer Teil seiner Sorgen wurde so auf einfache Art beseitigt. Die vorher feindliche Verwaltung half ihm plötzlich. Er konnte es kaum fassen.

Gert erklärte den Plan:

«Ich bereite alles vor. Weiß nicht, wie lange das dauert. Nicht lange, denke ich. Dann kommt ihr. Du, Mahmut, ziehst deinen Asylantrag zurück, falls noch einer läuft.

Dann erklärt ihr beide vor dem Richter, daß eure Ehe ein – sagen wir – Mißverständnis war. Den Text gebe ich euch. Das kostet fast nichts. Ein reiner Verwaltungsakt. Danach seid ihr beide freie Menschen. Mahmut kommt dann zu mir, und ich stelle ihm die Duldung aus. Es spricht nichts dagegen. Er hat sich hier nie etwas zuschulden kommen lassen, er hat seinen unseligen Asylantrag zurückgezogen, er hat eine regelmäßige Arbeit. Ich sehe keine Probleme. Der ganze Verwaltungskram kostet ein paar Pfennige, und ich glaube, bei Scheidungen muß immer ein Anwalt mit dabei sein. Dann kommt eben der Hubert aus unserer Rechtsabteilung. Vielleicht geht das in diesem Fall aber auch so – billiger – ich will mal sehen.»

Mahmut umarmte Gert Klein stürmisch und küßte ihn brüderlich auf beide Wangen.

«Das ich nie vergessen! Du jetzt einen Freund für immer. Wenn du hast Probleme, dann Mahmut für dich da. Ehrlich. Das ist so.»

In der winzigen Bude saßen sie zu dritt auf dem Bett. Mahmut hockte sich davor auf den Boden. Von dort aus erreichte er mühelos den Kühlschrank. Elke sah zwei Eier im Schrank, ein paar Dosen Bier, ein Stückchen Käse und eine halbvolle Flasche Raki. Die nahm Mahmut aus dem Schrank und sagte: «Ich jetzt trinken mit meine neue Freunde! Ich nicht oft getroffen so gute Menschen in dieses Land! Aber es gibt, und das ist schön.»

33

Wie von einer schweren Last befreit, erzählte Elke ihren Eltern am nächsten Morgen beim Frühstück von Gert Kleins Vorschlag. Haralds Gesicht erhellte sich. Seine Schmunzelgrübchen an den Mundwinkeln zuckten. Das war die Lösung. Mit Beziehungen und einem bißchen guten Willen ging eben alles. Dabei sah die Lage noch am Vortag aussichtslos aus. Die Ehe konnte nicht bestehenbleiben – aber eine Scheidung, um den Preis einer Abschiebung, war moralisch nicht zu vertreten.
«Jetzt wird der Oberstadtdirektor noch den Kaltenbach auf das erträgliche Maß zurechtstutzen und den Schwindel mit den Unterschriften abschaffen, und alles ist wieder, wie es sein sollte. Dann kann man sich endlich wieder um seinen eigenen Kram kümmern.»
Elke schlug vor, das Museum zu besuchen. Eine Picasso-Ausstellung. Der Gedanke erschien Harald verlockend. Denn wenn jetzt der Ärger mit den Kurden wegfiel, dann mußte an die Stelle etwas anderes treten. Es durfte kein Loch entstehen. Warum keine Museumsbesuche? Solch eine Beschäftigung stellte er sich wenig aufreibend vor. Nervenschonend und einem Studienrat angemessen.
Auch Eva war erleichtert über die einfache Lösung, die man Elke angeboten hatte. Doch seit ihrem Besuch bei der Ausländerpolizei war der Keim des Mißtrauens in sie gepflanzt. Unausrottbar. Ständig nachwachsend. Quälend.

«Und was», fragte sie leise, als schäme sie sich für ihre Gedanken, «wenn das Ganze ein Trick ist? Eine Finte?»
Harald sah sie empört an.
«Also Eva! Langsam glaube ich, du leidest an Verfolgungswahn. Du vermutest überall nur das Schlimmste. Als ob die Welt ein einziger Schweinestall sei. Jetzt kommen zwei nette junge Männer und helfen uns weiter, und du vermutest dahinter nur eine Sauerei. Wie sollen sie Elke denn reinlegen?»
Eva schwieg. Vielleicht war ihre Grundhaltung wirklich in letzter Zeit zu negativ.

34

Das Leben wurde plötzlich leichter, schöner für alle. Man hatte eine Möglichkeit gefunden, sich aus der Affäre zu ziehen, ohne das Gesicht zu verlieren. Die Dankbarkeit gegenüber Bodo und seinem Freund Gert Klein war groß. Harald ließ es sich nicht nehmen, den neuen Freund seiner Tochter einzuladen. Bodo kam nur zu gerne.
Er brachte für Eva einen Strauß weißer und roter Nelken mit. Bodo schlug ein Kartenspiel vor, die Eltern stiegen freundlich darauf ein. Das Familienglück war wieder hergestellt.
Mahmut ließ zwei Tage lang gar nichts von sich hören.
Nur Eva traute der ganzen Geschichte nicht. Wo war der Unterschied? Sie verlangten von Mahmut, er solle sein Asylverfahren zurückziehen, seine Ehe für ungültig erklären lassen, um dann eine Aufenthaltsgenehmigung zu bekommen. Den anderen Asylanten legte man einfach ein Papier vor, das sie unterschreiben sollten. Welche Veranlassung hatten sie jetzt, der Verwaltung zu glauben? War Bodo wirklich Garantie genug? Hatte Bodo wirklich irgendwelchen Einfluß? Reichte es, daß er Leute kannte, mit denen er mal zusammen Sport getrieben hatte?
Sie wollte die allgemeine Hochstimmung nicht trüben. Sie wollte nicht zum Buhmann werden. Trotzdem bemühte sie sich zweimal, Mahmuts Anwalt zu erreichen, sie wollte mit ihm die Sache besprechen.
Die Sekretärin im Anwaltsbüro erklärte ihr jedoch, Mah-

muts Anwalt befände sich für 14 Tage im Urlaub. Die Sekretärin selbst konnte zu dem Angebot keine Stellung nehmen, da sie keine juristische Ausbildung besaß. Sie riet vielmehr, in dieser Sache einen anderen Anwalt zu konsultieren, und sie gab auch die Telefonnummer eines anderen Anwalts durch, der angeblich auf Asylrecht spezialisiert war. Auch in seinem Büro rief Eva an. Sie konnte jedoch nicht zu ihm durchgestellt werden, da er sich auf einem Gerichtstermin befand. Einen weiteren Versuch, anwaltliche Hilfe einzuholen, unternahm Eva nicht.

Die Ehe zwischen Mahmut und Elke aufzulösen war tatsächlich nur ein Klacks. Elke und Mahmut erschienen im Verwaltungsgebäude, sie saßen sich in einem kleinen Raum gegenüber, am Kopfende des Tisches saß der Richter, neben ihm zwei Beisitzer. Alles lief lächelnd ab mit höflichen Floskeln. «Sie wollen geschieden werden?»

«Sie wollen auch geschieden werden?»

Jedesmal ein Kopfnicken.

«Na, dann wollen wir mal.»

Der Richter schaltete ein Tonbandgerät ein und sprach darauf einen Text, den er, wie auswendig gelernt, nur so abspulte. Von der kurzen Dauer der Ehe war die Rede und daß deswegen auch kein Rentenausgleich notwendig sei. Von einem nicht erfolgten Zugewinn sprach der Richter und schaltete das Tonband schon aus. Er nickte den beide freundlich zu, jeder bekam ein Papier vorgelegt, das er zu unterschreiben hatte, und sie wurden von einem jungen Mann zur Tür gebracht, der sich als ihr Anwalt vorstellte. Er lächelte: «Ich habe Sie als Anwalt in dieser Sache vertreten, mindestens eine Partei muß sich bei einem Scheidungsverfahren einen Anwalt nehmen.

Ich würde vorschlagen, Fräulein Stobbe, daß ich Ihnen die Rechnung ins Haus schicke.»
Elke Stobbe nickte.
Dann erschien ein anderer lächelnder junger Mann und bat Mahmut, jetzt das Asylverfahren zurückzuziehen, er bekäme dann sofort seine Duldung. Mahmut folgte dem Beamten.
Wenige Minuten später stand er dann vor Elke. Er hielt seine Duldung in Hand.
«Erst nur 14 Tage. Sie sagen. Nach 14 Tage Duldung kommt für ganz. Sie schon alles eingereicht. Ich jetzt keine Angst mehr haben brauchen. Jetzt bleiben hier. Nix Ausländerpolizei mehr böse.»
Elke hakte sich bei Mahmut unter, als sie das Gebäude verließen. Eva hatte für ein gemeinsames Mittagessen zu Hause gesorgt. Schließlich ließ man sich nicht alle Tage scheiden. Das war schon eine kleine Feier wert.
«Schade», sagte Mahmut, «schade, daß wir Gert Klein nicht gesehen haben. Ich möchte ihm so gerne danke sagen. Aber ich weiß gar nicht, wo er wohnt. Er arbeitet in Verwaltung. Aber wo? Ich möchte ihm gerne einen Wandteppich schenken. Einen schönen Teppich, worauf man kann sehen Istanbul.»
Mahmut bot Harald eine Zigarette an. Doch diesmal sagte Harald nein. Er ging zum Regal und nahm sich seine Lieblingspfeife heraus, die er bedächtig, ja geradezu andächtig zu stopfen begann.
«Wer hat dir denn die Duldung ausgestellt?» fragte Eva.
«Kaltenbach selber. Gert Klein war nicht da. Ich gefragt nach Gert. Kaltenbach sagt, Gert Klein jetzt in Urlaub.»

«Es wird auch Zeit, daß der Oberstadtdirektor unsere Dienstaufsichtsbeschwerde endlich behandelt. Sicherlich weiß Kaltenbach schon davon, und jetzt hat er Angst. Bestimmt benimmt er sich in den nächsten Tagen etwas besser zu den Asylanten.»

35

Bodo lud Elke ins Kino ein. Er versprach ihr einen Film ganz besonderer Art, der ihr sicherlich gefallen werde und den man unbedingt gesehen haben müßte. Elke sah an sich herunter, fand ihr Kleid für das Wetter eigentlich sehr passend, dachte aber an ihren letzten Kinobesuch mit Bodo und beschloß, sich vorher noch umzuziehen. Falls er wieder zum Polypen werden sollte, wollte sie wenigstens von einer Jeans geschützt werden.
Auf dem Weg zum Kino-Palast, in dem sich sechs verschiedene Kinos befanden, sagte Bodo: «Warum hast du denn dein tolles Kleid ausgezogen? Mädchen tragen heutzutage zu oft Hosen. Ich finde Kleider schön. Sehr fraulich. Du kannst doch wirklich Kleider tragen. Warum nicht öfter?»
Sie lächelte ihn hintergründig an. Nannte ihm aber ihre Beweggründe nicht. Schon von weitem sah sie die Lichtreklame. Es lief ein alter James-Bond-Film. Ein Sex-Film und der Film «Yol» von Yilmaz Güney. Sofort war ihr klar, daß Bodo Karten für Yilmaz Güneys «Yol» kaufen wollte. Die drei anderen Filmangebote beachtete sie überhaupt nicht. Vor dem Kino standen junge Mädchen und verteilten Flugblätter. Bodo und Elke glaubten zunächst, daß es sich um Vorankündigungen für kommende Kinoprogramme handelte. Es war statt dessen ein offener Brief an den Bundesjustizminister. Sie forderten den Bundesjustizminister in dem Brief auf, freies Geleit für Yilmaz

Güney zu gewähren. Für den Film «Yol» war er in der Türkei zu 15 Jahren Gefängnis verurteilt worden. Man hielt diesen Film für kommunistische Propaganda.
Yilmaz Güney hielt sich jetzt in Frankreich auf, wo man ihm Asyl gewährt hatte und wo er seinen neuen Film vorbereitete. Aufgrund eines bestehenden Auslieferungsvertrages zwischen der Türkei und der Bundesrepublik Deutschland befürchtete Yilmaz Güney, an die Türkei ausgeliefert zu werden, falls er den Boden der BRD betreten sollte. Dies hatte er aber vor, da auf dem «Festival der Jugend» sein Film gezeigt werden sollte.
Dort wollte er die Thematik seines Films mit jungen Leuten diskutieren. Nun hatte er an das Festival-Komitee geschrieben, er könne nicht kommen, bevor nicht eine Zusicherung des Justizministeriums vorliege. Diese Zusicherung verweigerte das Justizministerium zunächst telefonisch, wie aus dem offenen Brief hervorging.
Elke war noch in das Flugblatt vertieft, während Bodo die Eintrittskarten kaufte. Sie nahmen an der Kasse noch eine Tüte Gummibärchen mit. Dann begaben sie sich in den Kinoraum. Die Tapeten sahen aus, als seien sie aus rotem Samt. Bodo nahm Elke kurz in den Arm. Schon befürchtete sie, er würde gleich wieder mit seiner Fummelei beginnen. Doch dazu war sie jetzt nicht im Geringsten aufgelegt. Zu sehr noch erregte sie das Flugblatt, der Gedanke, die Bundesregierung könne tatsächlich einen Filmemacher für einen Film an die Türkei ausliefern, wo ihm 15 Jahre Gefängnis drohten, war unerträglich für sie. Sie war weiß um die Lippen. Sie mußte wieder an Mahmut denken. Sie empfand Stolz darüber, daß sie zumindest dabei mitgeholfen hatte, seine Auslieferung an die Junta zu verhindern.

Sie nahmen etwa in der Mitte des Kinos Platz. Die Sessel waren gepolstert, es handelte sich um ein ganz neues Kino. Man durfte sogar rauchen. Sie ließ die Reklame und die Vorankündigungen über sich ergehen und gestattete Bodo auch, während dieser Zeit ihre Knie zu betätscheln.

Sie nahm sich vor, ihn direkt bei Beginn des Filmes zurechtzuweisen. Sie wollte wissen, wofür Yilmaz Güney 15 Jahre in den Knast sollte.

Zunächst glaubte sie, der Filmvorführer hätte nur die falsche Rolle eingelegt. Doch dann wurde ihr klar, daß sie und Bodo kein Wort darüber verloren hatten, in welchen Film sie gehen wollten. Sie war davon ausgegangen, daß es nur «Yol» sein konnte. Doch Bodo hatte Karten für einen ganz anderen Film gekauft. Einen Film, der ihn ungeheuer interessierte. In der Hauptrolle Sylvester Stallone. Der Film hieß «Rambo» und erzählte die Geschichte eines alten Vietnamveteranen, der nun, nachdem der Krieg vorbei war, auf eigene Faust loslegte, mitten in den Vereinigten Staaten gegen die Nationalgarde zu kämpfen.

Nun fiel ihr auf, daß der Film Bodo so sehr fesselte, daß er sogar vergaß, seine Hände auf ihrem Körper herumwandern zu lassen. Den Kopf halb in den Nacken gelegt, die Hände brav in seinem Schoß gefaltet, mit weit aufgerissenen Augen sah er staunend zu. Sylvester Stallone faszinierte ihn.

«Diese Vietnam-Helden sind verdammt harte Nüsse», sagte ein Nationalgardist. «Ein Kriegsheld. Er ist ein Kriegsheld.»

Sie sah nicht auf die Leinwand, sie beobachtete Bodo. Der leicht verächtliche Zug um seine Mundwinkel signalisier-

te ihr, daß er sich selbst als Rambo fühlte. Er identifizierte sich mit Sylvester Stallone, dem Helden von Vietnam, dem gnadenlosen Killer.
«Warum hat Gott so einen Mann geschaffen?» schrie der Sheriff.
«Gott hat Rambo nicht geschaffen, sondern ich», sagte der Colonel und trat ins Zelt. «Er ist darauf trainiert, keine Schmerzen zu empfinden. Er war der Beste. Er hat für uns in Vietnam getötet. Er ist nur auf eins gedrillt: zu zerstören. Sie und Ihre Männer haben keine Chance gegen ihn. Ziehen Sie ab.»
Das Lächeln um seine Lippen wurde breiter. Die Welt aus Brutalitäten, Grausamkeiten und Männlichkeitswahn, die dieser Film schuf, war seine Welt. Darin fühlte er sich wohl. So sollte es sein. Nur so konnte er wirklich Mann sein. Sie empfand Ekel darüber, doch sie konnte ihren Blick nicht von ihm losreißen. Sie war jetzt völlig nebensächlich für ihn, was zählte, waren die Kämpfe auf der Leinwand.
Sie stand auf und ging nach draußen. Entweder bemerkte er es nicht, oder er glaubte, sie ginge nur zur Toilette. Draußen besah sie sich die Plakate zum Film und las die Ankündigung: «Ein Film voller Kraft und Genialität», schrieb die New York Times. «Ein Superheld mit mystischer Ausstrahlung», schrieb Newsweek. Fassungslos stand sie davor. Natürlich wußte sie, daß solche Filme produziert wurden. Natürlich wußte sie, daß sinnlose Grausamkeit und die Mystifizierung von Gewalt in den Kinos volle Kassen einspielten. Doch sie konnte sich nicht vorstellen, welche Menschen solche Filme drehten. Viel weniger noch konnte sie sich vorstellen, welche Leute sich solche Filme ansahen.

Sie kannte solche Menschen nicht. In ihrem Bekanntenkreis war sie davon verschont geblieben. – Ja gut, Vater, der sah schon mal einen Western mit ein paar Schießereien. Aber so etwas hier? Nein, das hätte er sicherlich abgelehnt. Genauso wie die japanischen Karatefilme.
Sie nahm noch einmal das Flugblatt aus der Tasche und las es. Dafür hatte Bodo nicht das geringste Interesse gezeigt. Rambo war ihm wichtiger gewesen.
Sie ging nach Hause. Der Gedanke, daß sie sich von Bodo hatte berühren und küssen lassen, daß sie mit ihm geschlafen hatte, mit einem Mann, auf den faschistoide Gewalt solche Anziehungskraft ausübte, den solche Szenen faszinierten – dieser Gedanke ließ sie erschauern. Sie ekelte sich vor sich selbst. Nachträglich wischte sie sich den Mund ab, so, als könne sie es ungeschehen machen. Sie beschloß, ihn nicht mehr wiederzusehen.
Noch am gleichen Abend rief er bei ihr zu Hause an, sie ließ sich von der Mutter verleugnen. Als er sie am darauffolgenden Tag zufällig selbst am Telefon erwischte, legte sie stumm wieder auf. Es gab zwischen ihnen nichts mehr zu reden. Sie waren Menschen völlig anderer Geistes- und Gefühlshaltung. Außer ihrer Sprache und ihrer Jugend hatten sie nicht viel gemein.
Sie nahm sich vor, Mahmut mal wieder zu besuchen. Auch wollte sie gerne mit Michael reden. Er konnte so gut zuhören. Sie ging davon aus, daß er immer noch so hoffnungslos verliebt in sie war.
Nein, mit ihm wollte sie kein Verhältnis anfangen. Doch es war gut zu wissen, daß man jemanden hatte, der zuhören konnte. Denn seit die Sache mit Mahmut und ihrer Ehe geklärt war, versanken die Eltern immer mehr in ihre intime Zweisamkeit, in der für sie kaum noch Platz

war. Immer mehr fühlte sie sich zu Hause als Störenfried. Ihre Eltern waren nicht unhöflich oder gar grob zu ihr, ganz im Gegenteil. Doch zwischen den Eltern fand etwas statt, von dem sie ausgeschlossen war. Vielleicht konnte man es den zweiten, dritten oder gar vierten Frühling einer Ehe nennen. Sie gönnte es ihnen und sah sich nach anderen Außenkontakten um.

36

Harald betreute einen seiner übriggebliebenen Nachhilfeschüler. Eva saugte im Wohnzimmer Staub. Sie hatte sich mit Harald darauf geeinigt, daß sie dies auch tun konnte, wenn er da war, denn das Staubsaugen gehörte genauso zu ihrem gemeinsamen Leben wie das Frühstücken und das Schlafengehen. Elke brühte sich gerade einen Tee auf, als Alis Anruf sie alle aus den Rhythmus warf. Er erzählte, daß Mahmut nicht mehr zu Hause sei. Angeblich hätte man Mahmut verhaftet und er säße bereits in Abschiebungshaft. Elke wollte zunächst die Geschichte nicht glauben, hielt sie für reine Panikmache. Schließlich aber räumte sie ein, es könnte sich immerhin um ein Mißverständnis handeln, und sie wollte sofort die Verwaltung anrufen. Sie blieb relativ ruhig, doch ihr Vater, der ihr Telefongespräch auch durch die geschlossene Tür seines Arbeitszimmers gehört hatte, stürmte herein. Die Mutter ließ den Staubsauger, den sie bereits beim zweiten Klingeln ausgeschaltet hatte, im Wohnzimmer liegen und stand nun neben Elke. Evas Gesicht verriet kaum Erstaunen. Sie fühlte sich vielmehr bestätigt. Bestätigt in ihrem abgrundtiefen Mißtrauen gegen die Ausländerpolizei, gegen die Verwaltung schlechthin.

Mit blutleeren Lippen sagte sie: «Sie haben uns reingelegt. Reingelegt haben sie uns.»

Schon hatte Harald den Telefonhörer in der Hand und wählte die Nummer der Ausländerpolizei. Offensichtlich

hatte er sie auswendig im Kopf. Er ließ sich mit dem Chef der Ausländerpolizei verbinden.
Er schilderte den Vorfall, fragte, ob Mahmut in Abschiebehaft sitze. Der Chef der Ausländerbehörde konnte dies weder dementieren noch bestätigen, denn er sah sich außerstande, dritten Personen, die nichts mit der Sache zu tun hatten, Auskunft zu erteilen. Er riet Harald, mit einer schriftlichen Vollmacht von Mahmut bei der Behörde zu erscheinen, dann werde man ihm Auskunft erteilen, ansonsten sei das aus Gründen des Datenschutzes nicht möglich.
Harald knallte den Hörer auf die Gabel. Er rannte zur Garderobe und zog sich eine Jacke über. «Komm, Elke!» Seine Stimme hatte einen Befehlston, den Elke sonst nicht an ihm kannte. Sie folgte ihm widerspruchslos. Eva schnappte sich nur noch ihren Mantel und rannte hinterher.
Harald benutzte nicht die für Besucher der Verwaltung vorgesehenen Parkplätze. Er parkte den Wagen direkt am Eingangsportal, schloß ihn nicht ab, sondern zog nur die Handbremse und steckte den Zündschlüssel in die Tasche. Er stürmte die Treppe hoch, als handle es sich um die Eroberung einer Burg. Elke und Eva hatten Mühe, mit ihm Schritt zu halten. Ohne anzuklopfen öffnete er die Tür der Ausländerbehörde.
Kaltenbach saß an seinem Schreibtisch, hielt eine Tasse schwarzen Kaffee in der Hand und rauchte eine Filterzigarette.
«Wo ist Mahmut?» brüllte Harald. Kaltenbach sprang auf. In den nächsten Sekunden konnte eine Schlägerei beginnen. Er stellte seine Tasse auf die Fensterbank und brachte sich in Positur. Er war bereit, Haralds Angriff

abzufangen. Doch Harald griff nicht an. Harald streckte nur seinen Arm aus, wies mit dem Zeigefinger auf Kaltenbach und schrie: «Ich will Gert Klein sprechen! Führen Sie uns sofort zu Gert Klein, oder es passiert ein Unglück!»

Kaltenbach lächelte ein wenig verständnislos, ging einen Schritt auf Harald zu und sagte: «Tut mir leid, ich kenne keinen Gert Klein.»

In diesem Moment wurde Elke das ganze Ausmaß des Betruges bewußt.

Mit einem Schlag war ihr alles völlig klar. Hätte nicht hinter ihr ein Stuhl gestanden, so wäre sie lang hingeschlagen. Jetzt sah es nur so aus, als hätte sie sich ein bißchen hart hingesetzt. Sie schloß die Augen und war einer Ohnmacht nahe. Es war ein abgekartetes Spiel gewesen. Ein Spiel zwischen Bodo und Kaltenbach. Sie wollten Mahmut aus dem Weg räumen. Bodo aus purer Eifersucht, Kaltenbach aus politischen Gründen und weil er Karriere machen wollte. Sie hatten sie, Elke Stobbe, dazu benutzt. Sie hatten sich in ihr Vertrauen eingeschlichen. Und irgendein bedeutungsloser, kleiner Kerl, der wahrscheinlich nicht einmal Gert Klein hieß, hatte sie im Auftrag Kaltenbachs hinters Licht geführt.

Mit den Händen stützte sie sich auf die zitternden Knie und versuchte, sich zu erheben.

Sie hörte ihren Vater sagen: «Wie? Ich verstehe nicht ganz. Sie haben doch mit Gert Klein ein Abkommen getroffen über Mahmuts Aufenthalt . . .»

«Abkommen über Aufenthaltsgenehmigungen oder Abschiebungen mit Dritten zu treffen ist uns nicht erlaubt. Ich handle doch nicht gegen die Dienstvorschriften. Sie wollen mir wohl kaum vorwerfen, ich hätte irgendwelche

Kungeleien mit Asylanten oder deren Vertretern begangen. Wenn Sie sich zu beschweren haben, dann besuchen Sie bitte meinen Chef. Aber Sie sollten uns doch dankbar sein. Schließlich hat Ihnen die Verwaltung geholfen, daß die Scheinehe Ihrer Tochter aufgelöst wurde, ohne daß es für Sie oder Ihre Tochter irgendwelche nachteiligen Folgen hatte. Undank ist der Welten Lohn!»

Eva faßte ihre Tochter unter den Arm und half ihr vom Stuhl. Sie führte sie in den Flur, wo sie an die Wand gelehnt stehenblieb. Sie drohte jede Sekunde herunterzurutschen. Sie schien völlig entkräftet zu sein. «Diese Schweine» hauchte sie, «diese Schweine».

Harald Stobbe versuchte noch einmal, Mahmuts Anwalt zu erreichen, aber es gelang ihm nicht. Aus der Telefonzelle direkt vor dem Verwaltungsgebäude telefonierte er, bis er kein Kleingeld mehr hatte. Aber im Justizministerium schaltete man ihn nur von einer Stelle zur anderen durch, ohne ihm helfen zu können. Der Oberbürgermeister war nicht zu sprechen. Der Oberstadtdirektor befand sich auf einer Dienstreise. Obwohl Harald Stobbes Auto direkt vor der Tür der Verwaltung parkte, bestellte er mit den letzten 20 Pfennig ein Taxi. Er setzte seine schluchzende Tochter und seine aschfahle, schweigende Frau in das Taxi, nahm selbst vorne neben dem Fahrer Platz und nannte tonlos den Bestimmungsort.

Zu Hause angekommen, rief Elke noch einmal bei der Ausländerbehörde an und verlangte zu erfahren, wo Mahmut einsaß. Dann rief sie dort an und bat darum, ihn besuchen oder ihn sprechen zu dürfen. Die Bitte konnte ihr nicht gewährt werden, denn er befand sich bereits auf dem Weg zum Flughafen.

Man versicherte ihr, daß er sich schon in wenigen Stun-

den in Ankara befinden würde. Er flog mit einer türkischen Maschine, die ausschließlich Asylanten aus der Bundesrepublik in die Türkei zurückbrachte.
Später erfuhr sie aus der Zeitung, daß sich Lufthansa-Piloten geweigert hätten, solche Maschinen zu fliegen. Deswegen setzte man türkische Maschinen mit türkischem Personal dafür ein.

37

Tage völliger Lethargie verstrichen für Elke. Sie ging nicht in die Schule, sie besuchte ihre Klassenkameraden nicht, sie ging nicht einmal auf die Straße. Ihr Zimmer verließ sie nur, wenn Eva sie zu den Mahlzeiten rief.
Eva verrichtete ihre gewohnte Hausarbeit wie mechanisch. Sie stierte dabei vor sich hin und bemühte sich, ihren alten Lebensrhythmus zurückzufinden. Der Alkohol half ihr dabei über die ersten Tage hinweg.
Harald stürzte sich in die Arbeit. Er erschien wieder pünktlich in der Schule, erledigte seine Nachmittagsstunden und sah sich wieder nach neuen Nachhilfeschülern um. Arbeit war für ihn eine mögliche Flucht.
Sie sprachen tagelang nicht mehr über den Vorfall. Erst der Brief des Oberstadtdirektors zwang sie wieder, sich mit der Geschichte zu beschäftigen.
Harald Stobbe nahm den Brief in Empfang und öffnete ihn. Elke und Eva saßen noch am Frühstückstisch. Er las den Brief fassungslos. Er war aber allem so überdrüssig, daß er nicht wahrnehmen wollte, daß Eva für ihn einen Brief geschrieben hatte. Wortlos reichte er ihn an Elke und Eva weiter, die gemeinsam hineinsahen.
«Zu den in Ihrem Schreiben erhobenen Vorwürfe gegen die Mitarbeiter der Ausländerbehörde nehme ich heute abschließend Stellung. Ich habe die Vorwürfe im einzelnen sehr eingehend geprüft und komme zu dem Ergebnis, daß sie im wesentlichen nicht berechtigt sind. Lediglich in einigen Bereichen des Ausländeramtes sind Ver-

besserungen möglich. Konkret meine ich hiermit die Bereitstellung von mehrsprachigen Formularen für wichtige Dokumente und evtl. das Beiladen eines Rechtsanwalts zu Verhandlungen.
Sie schreiben, Ausländer würden alle mit ‹Du› angeredet oder mit Schimpfwörtern bedacht. Dieser Vorwurf wird von Herrn Kaltenbach und den anderen Mitarbeitern der Ausländerbehörde entschieden zurückgewiesen. Inzwischen hat auch ein vereidigter Übersetzer, der bei vielen Verhandlungen anwesend war, erklärt, daß dies nicht stimme. Hier steht nun Aussage gegen Aussage.
Ich sehe daher keine Veranlassung, hier gegen Herrn Kaltenbach oder einen anderen Mitarbeiter der Ausländerbehörde einzuschreiten.
Außer Ihren Beschwerden hat es außerdem noch nie welche gegeben. Sie nennen Zeugen, die angeblich ohne Dolmetscher und in Unkenntnis den Asylantrag zurücknahmen. Zu den Genannten ist zu bemerken:
Es war in jedem Falle ein Übersetzer ihrer eigenen Wahl anwesend, der sogar mit unterschrieben hat. Dieser Fakt läßt sich anhand unserer Akten belegen.
Zu Ihrem Vorwurf, Herr Kaltenbach habe die Asylanten nicht richtig aufgeklärt, ist zu sagen, daß Herrn Kaltenbachs Auskünfte zu jeder Zeit richtig waren. Er handelte im Rahmen seiner Dienstbestimmungen. Unsere Verwaltung wird auch in Zukunft Asylbewerbern die Möglichkeit geben, ihren Antrag zurückzunehmen und freiwillig auszureisen. Wer dies nicht möchte, kann selbstverständlich den Dienstweg gehen. Ausländer, deren Asylanträge rechtskräftig abgelehnt werden, müssen mit einer umgehenden Ausweisung rechnen. Dies Verfahren ist rechtmäßig.

Ich darf Ihnen abschließend versichern, daß ich die Arbeit der Ausländerpolizei in Zukunft besonders aufmerksam beobachten werde.
Mit freundlichen Grüssen»

«Er hat also deine Vorschläge sehr eingehend und im einzelnen geprüft. Dies gelang ihm sogar, ohne auch nur einen der von dir genannten Zeugen zu befragen. Er wertete die Aussagen der beschuldigten Beamten so hoch, daß er auf die Aussagen der Asylanten verzichten konnte. Das wirft das richtige Licht auf sein Menschenbild!» schrie Elke, sprang vom Frühstückstisch auf und rannte nach oben in ihr Zimmer, wo sie sich heulend aufs Bett warf.
In den nächsten Tagen versuchte sie, über Demir und Ali an die Adresse von Mahmuts Eltern oder anderen Verwandten in der Türkei zu gelangen. Eine andere Möglichkeit sah sie nicht, um jemals zu erfahren, was aus Mahmut geworden war.
Niemand konnte ihr mit einer Adresse weiterhelfen. Doch etwa drei Monate nach Mahmuts Abschiebung erreichte sie ein Brief aus der Türkei. Er kam von Mahmuts Eltern.

Liebe Frau Elke Stobbe,
unser Sohn Mahmut hat uns geschrieben, daß Sie eine gute Frau sind und ihm geholfen haben. Dafür bedanken wir uns. Leider konnten wir uns nie kennenlernen. Vielleicht werden Sie uns einmal in der Türkei besuchen. Sie sollen dann unser Gast sein. Mahmut ist mit einem Flugzeug von Deutschland nach Ankara gekommen. Sein altes Dorf hat er aber nie erreicht. Er wurde wenige Tage

nach seiner Ankunft tot aufgefunden. Sein Körper wies Verletzungen auf, die unserer Meinung nach nur auf Folter und Schläge zurückzuführen sein können. Wir hielten es für unsere Pflicht, Ihnen dies mitzuteilen.

Zwei Unterschriften und darunter die Bemerkung: Von Mahmuts Eltern. Übersetzt von Resul (Mahmuts bestem Freund in der Heimat).

38

Sie schritt die Treppen zum Verwaltungsgebäude wie traumwandlerisch hinauf.
Schon stand sie vor der Tür zur Ausländerpolizei. Einige Türken und Kurden im Flur sahen sie an, errieten vielleicht, was sie plante, und machten Platz. Sie schloß die Augen und hoffte, daß der Mut sie nicht verlassen würde.